Ökonomien der Zukunft

Milosz Matuschek

Philipp Mattheis

Kryptopia

NP
&I

Inhalt

Vorwort: Ein Reiseführer in ein unbekanntes Land 6

Peter Pan in Bangkok
3. Januar 2014. Bitcoin: 802 $
Ein Auswanderer in Bangkok mit verrückten Ideen. Ohne es zu wissen, haben wir ein Ticket nach Kryptopia gekauft. Wir wissen nicht, wohin uns diese Reise führt, und zunächst passiert erst mal lange: nichts. 10

Über Geld denkt man nicht nach – und wenn doch?
6. Februar 2017. Bitcoin: 1017 $
Anfang 2017 beginnt der Bitcoin-Kurs zu steigen. Immer mehr, vor allem junge Leute werden von der Philosophie von Bitcoin und anderen Krypto-Währungen angezogen. Sie stellen sich eine grundlegende Frage: Was ist eigentlich Geld? Und wofür brauchen wir es? 18

Die Blockchain-Revolution
22. Mai 2017. Bitcoin: 2242 $
Die Technologie, die hinter Bitcoin steckt, eröffnet völlig neue Möglichkeiten und hat das Potenzial, ganze Sektoren zu revolutionieren. Ein Ausflug in die Welt der Altcoins, ICO und Blockchain-Projekte. 28

Schiffe bauen in Kryptopia oder:
Wie entsteht eigentlich ein Start-up?
30. August 2017. Bitcoin: 4588 $
Dank der Token-Ökonomie haben es Start-up-Gründer in der Krypto-Welt viel leichter. Matuschek ist einer von ihnen. Ein Erlebnisbericht. 38

Zwischen Verbot und FUD:
Ist Bitcoin unaufhaltbar?
15. September 2017. Bitcoin: 3387 $
Stellen Sie sich bitte für einen Moment vor, Sie seien Chinese. Warum Verbote die Krypto-Währung nicht aufhalten können und sich Bitcoin genauso wenig wie das Internet verbieten lässt. 46

Krypto-Propheten, -Apostel und -Quacksalber
29. November 2017. Bitcoin: 10.554 $
Der Krypto-Boom trägt religiöse Züge. Apostel wie Andreas Antonopolous pilgern um die Welt und predigen die neue Religion. Andere sehen eine große Verschwörung im Gange. Was im Kaninchenbau passieren kann. 54

Sand im Getriebe – wie Bitcoin und Co. das geopolitische Machtgefüge verändern
19. Dezember 2017. Bitcoin: 19.000 $
Bitcoin und Krypto-Währungen haben das Potenzial, das geopolitische Machtgefüge zu erschüttern. Sie entziehen den Zentralbanken Steuerungsmechanismen und greifen die Vorherrschaft des US-Dollars an. Ein kurzer Ausflug nach Teheran. 66

Schöne, neue Krypto-Welt – Fata Morganas und Oasen am Horizont
10. April 2018. Bitcoin: 6755 $
Der Bitcoin-Boom ist vorbei, oder zumindest für einige Zeit unterbrochen. Die Reise nach Kryptopia ist aber noch lange nicht zu Ende, auch wenn wir die eine oder andere Fata Morgana gesehen haben. Was wir am Horizont erkennen können. 74

Epilog: Und der Letzte macht das Licht aus?
2. Juli 2018. Bitcoin: 6364 $ 84

Links 86

Krypto-Sprech 90

Top 10 laut Coinmarketcap am 3. Juli 2018 92

»Ein Kerl, der spekuliert, ist wie ein Tier, auf dürrer Heide von einem bösen Geist im Kreis herumgeführt, und ringsumher liegt schöne, grüne Weide.«

Johann Wolfgang von Goethe

Vorwort: Ein Reiseführer in ein unbekanntes Land

Liebe Leser,

Kryptopia ist ein unbekanntes Land. Kryptopia gibt es noch nicht, und vielleicht wird es sogar nie existieren. Trotzdem ist dieses Buch ein Reiseführer und -bericht gleichermaßen. Wir sind weder Programmierer noch Ökonomen, sondern ein Jura-Dozent an der Sorbonne und Start-up-Gründer (Matuschek) sowie ein Wirtschaftsjournalist und Nahost-Korrespondent mit Trading-Vergangenheit (Mattheis). Wir sind selbst Reisende nach Kryptopia. Wir wurden angelockt durch die Aussicht auf Reichtum, und auf dem Weg leuchtete uns irgendwann ein: Es geht um viel mehr als um schnelle Spekulationsgewinne. »We fell into the rabbit hole«, wie es im Krypto-Sprech heißt. Wir sind immer tiefer in den Kaninchenbau eingedrungen und haben dort ein faszinierendes Krypto-Wunderland entdeckt.

In Kryptopia finden zahlreiche hoch spezialisierte Themen und Kompetenzen zueinander: Kryptografie, Computerwissenschaften, Makroökonomie, Spieltheorie, Verhaltenspsychologie. Es geht genauso darum, wie Individuen sich einer zunehmenden Überwachung durch Regierungen entziehen können, wie um die Frage, ob es uns gelingen kann, ein stabileres Geldsystem zu entwickeln. Nach Kryptopia zieht es momentan die klügsten, interessantesten und wirrsten Köpfe der Welt aus den verschiedensten Branchen. Sie alle wissen: Kryptopia kann die Welt so grundlegend verändern wie das Internet – vielleicht sogar darüber hinaus. Es stellt unser bestehendes Geldsystem und die Macht von Regierungen infrage. Es hat das Potenzial, Milliarden von Menschen in den Finanzkreislauf einzubinden und unsere Wirtschaft zu revolutionieren.

Unser Reisebericht erzählt weder die Geschichte von Bitcoin, noch wollen wir zu tief in die technischen Details abtauchen. Man muss nicht wissen, wie die Blockchain denn nun ganz genau funktioniert – denn das wissen wir bei Innovationen, die wir täglich nutzen, wie dem Internet oder dem Verbrennungsmotor auch nicht. Dafür stellen wir Ihnen am Ende des Buches Ressourcen zur Verfügung, die das besser können als wir. Dies ist auch kein »Wie werde ich schnell reich?«-Ratgeber.

Dieses Buch ist eine Wegbeschreibung mit unklarem Ziel, basierend auf einer Karte mit unklaren Koordinaten. Eine Reportage über ein Land, in dem noch niemand war. Wir haben uns vor etwa drei Jahren auf den Weg nach Kryptopia begeben – und wie fast alle Reisenden haben wir eine typische Transformation hinter uns: Wir starteten als neugierigverhaltene Gelegenheitsinvestoren. Unterwegs aber begegneten wir Krypto-Aposteln und Bitcoin-Propheten, Gründern, Visionären, Freaks und Futuristen. Wir drangen tiefer ein in das Land libertärer Utopisten und wurden selbst zu welchen, nur um im nächsten Moment zu fürchten, dem größten Spekulationsboom der Finanzgeschichte aufgesessen zu sein. Wir sind skeptische Enthusiasten, und trotz all der Zweifel glauben wir, dass es unbedingt sinnvoll ist, nach Kryptopia zu reisen. Denn dort erfahren wir mehr über unsere bestehende Welt, also über Geld, Macht, Kontrolle, Gleichheit und Freiheit. Und wer daheim bleibt, zu dem wird Kryptopia kommen – vielleicht früher, als er sich das vorstellen kann.

Matuschek & Mattheis

Orientierungswegweiser: Dieses Buch ist ein gemeinsames Werk. Die kursiven Einleitungstexte und Trading-Erlebnisse stammen ausschließlich von Philipp Mattheis.

»A purely peer-to-peer version of electronic cash would allow online payments to be sent directly from one party to another without going through a financial institution.«

Satoshi Nakamoto

Peter Pan in Bangkok

3. Januar 2014. Bitcoin: 802 $

Marc kam auf einem Motorradtaxi. In Bangkok schien das die einzige Möglichkeit, relativ schnell durch den ewig dichten Verkehr zu kommen. Die Straßen waren schwer von Abgasen, die Luft hing dicht und feucht in den vor Lärm dröhnenden Gassen. Ich war mir relativ sicher, diesen Menschen noch nie gesehen zu haben, der da gerade vom Motorrad stieg und mir die Hand reichte. Marc dagegen versicherte mir, er sei auf einer Sturmfrei-Party im Haus meiner Eltern gewesen. Das muss über zwanzig Jahre her gewesen sein. Ich wusste nur, dass wir einen gemeinsamen Bekannten in München hatten, der mir geraten hatte, ihn zu besuchen. Er führte mich in ein kleines, dunkles, indisches Restaurant, in dem wir um die Mittagszeit die einzigen Gäste waren.

Marcs Lebenslauf war der eines Menschen, den Extreme anziehen. Er hatte Deutschland vor 20 Jahren verlassen, um ein Jahr in Malaysia bei seinem Meister Kung-Fu zu lernen. Später war er nach Bangkok gezogen, wo er seine Frau kennengelernt hatte.

Marc redete und redete und hörte erst wieder auf, als wir bezahlten und dieses Mal mit zwei Motorradtaxis zu seinem Haus am Stadtrand Bangkoks fuhren. Mit seiner Frau lebte er in einem großzügig und modern geschnittenen Quader, denn seine Frau hatte einen gutbezahlten Job in einer Werbeagentur. Vor der Einfahrt hing ein Boxsack, hinter dem Haus war sogar ein kleiner Pool. Marc konnte weitgehend ein Peter-Pan-haftes Leben führen, das aus Kung-Fu und Computerspielen bestand. Stolz zeigte er mir sein Spielzimmer, in dem sich neben einer mannshohen Leinwand fünf Spielekonsolen befanden.

»Bitcoin«, sagte Marc irgendwann, während er im Schneidersitz vor der Leinwand saß. »Hast du schon mal von Bitcoin gehört?«

Ich hatte davon gehört, schließlich lebte ich zu dieser Zeit in Schanghai und arbeitete dort als China-Korrespondent eines Wirtschaftsmagazins. Der erste Bitcoin-Boom war gerade im Gange.

»Kauf das«, sagte Marc.

»Warum?«, fragte ich.

»Es wird steigen, du wirst reich werden damit«, sagte Marc, »wird auf 10.000 steigen, oder 100.000 – keine Ahnung.«

Einige Tage später versuchte ich, bei einer Onlinebörse ein Konto zu eröffnen. Ich scheiterte schon an der Authentifizierung, da sich mein Wohnsitz im Ausland befand. Das störte mich aber nicht weiter, denn im Februar wurde die japanische

Börse Mt. Gox gehackt. Rund eine Million Bitcoin wurden gestohlen, der Kurs fiel auf unter 200 Dollar und sollte dort lange bleiben.

Doch Marcs stoischer Optimismus ging mir nicht mehr aus dem Kopf. Was die Blockchain ist, was eine dezentrale Währung sein soll und wie Bitcoin das Problem der byzantinischen Generäle löst – all das wusste ich nicht. Da war nur Marc vehementes »Kauf das mal, wird steigen«. Im September 2014 gelang es mir schließlich, mich bei einer Bitcoin-Börse zu registrieren. Ich kaufte 20 Bitcoin für umgerechnet 5000 Euro. Mein Deal mit mir selbst: Entweder dieses Krypto-Dings steigt in ein paar Jahren auf 100.000 Euro, oder ich habe eben meinen Einsatz verloren. Es ist ein Spiel, aber mit einem überschaubaren Risiko. Kurz darauf kaufte ich mir noch ein Buch. Es hieß »Cryptocurrencies: Wie virtuelles Geld unsere Gesellschaft verändert«. Ich verstand wenig, aber das Wenige gefiel mir.

Und dann … geschah die folgenden drei Jahre nichts. Der Kurs dümpelte irgendwo zwischen 200 und 400 herum, so dass ich mein Investment schnell vergaß. Das alles änderte sich Anfang 2017. Plötzlich stieg der Kurs auf über 1000 Euro. Nicht nur das – mit einem Mal schien die halbe Welt über Bitcoin und die Blockchain zu reden. Es dauerte nicht lange, und ich fand mich in einem anarchischen Strudel aus Spekulanten, Geldsystemkritikern, Cypherpunks und Tech-Enthusiasten wieder. Die Reise nach Kryptopia hatte begonnen.

2014 berichtete das Magazin *Newsweek*, es habe den legendären Erfinder von Bitcoin gefunden. Es handele sich um einen Mann mittleren Alters, wohnhaft in Kalifornien, ein libertärer, etwas eigensinniger Mann japanischer Abstammung.

Bis dato wusste niemand, wer Bitcoin erfunden hatte, ob es sich um eine einzelne Person oder um eine Gruppe von Menschen gehandelt hatte. Niemand hatte den Erfinder von Bitcoin je zu Gesicht bekommen. Seine letzte E-Mail stammte vom 23. April 2011. Darin schrieb er: »I've moved on to other things. It's in good hands with Gavin and everyone.« Mit Gavin war Gavin Andresen gemeint, einer der wichtigsten Bitcoin-Pioniere. Immer wieder waren Spekulationen aufgetaucht, wer hinter dem Pseudonym stecke. War es Hal Finney, der von Nakamoto die allererste Bitcoin-Transaktion empfangen hatte? Oder Nick Szabo, der schon seit den Neunzigern zu Internet-Geld forschte? Oder war es Andresen selbst? Oder gar Alan Greenspan? Journalisten, Nerds und Krypto-Enthusiasten hatten versucht, anhand von Nakamotos Schreibstil, der Tageszeit, in der er postete, und der Zeitzone, in der er sich befand, herauszufinden, wer er ist. Niemandem war es bisher gelungen, die Identität des Bitcoin-Erfinders zu lüften.

Doch jetzt schien das Rätsel gelöst. Die Journalistin Leah McGrath Goodman schrieb, Dorian Prentice Satoshi Nakamoto hätte zugegeben, der Erfinder von Bitcoin zu sein. Als Beleg diente der Satz: »Ich habe mit diesem Projekt nichts mehr zu tun, ich habe es an andere Leute weitergegeben.« Die Krypto-Community war in großer Aufregung, so wie die großen Medienhäuser. Jeder wollte so schnell wie möglich ein Interview mit dem Mann bekommen, der mit einer Erfindung, die sich auf wenigen Seiten darstellen lässt, eine Revolution ausgelöst hatte.

Mitten im Chaos der Finanzkrise 2008 war ein unscheinbarer Text von neun Seiten erschienen, den nur wenige verstanden, geschweige denn ernst nahmen, und der nur an ein

Fachpublikum gerichtet war. Immer mehr kluge Köpfe begannen, sich darüberzubeugen, bis allen klar war: Hier hat jemand gerade ein echtes Problem gelöst und Geschichte geschrieben. Der Artikel trug den unscheinbaren Titel: »Bitcoin: A Peer-to-Peer Electronic Cash System«.

Satoshi Nakamoto hatte ein Problem gelöst, das es seit Jahrzehnten in den Computerwissenschaften gab, das Problem der »byzantinischen Generäle«. Und es geht so:

Vier Generäle wollen aus verschiedenen Himmelsrichtungen Byzanz angreifen. Und zwar gleichzeitig. Schaffen sie dies, können sie gewinnen, schaffen sie es nicht, werden sie einzeln besiegt. Ihr Problem lautet nun: Wie stelle ich für den Zeitpunkt des Angriffs garantierten Konsens, also Übereinstimmung von Information und Ausführung sicher? Und zwar ohne dem anderen vertrauen zu *müssen?* Einfach weil ich sehe, dass sich der gemeinsame Wille vollzieht?

Warum ist das so zentral und was hat das mit Bitcoin zu tun? Weil die Lösung dieses Problems in diesem Moment dem Internet eine neue Funktion hinzugefügt hat: die Übertragbarkeit von »Werten« von einer Person auf die andere. Das Internet ist eigentlich »nur« eine globale digitale Kopiermaschine. Wenn ich eine E-Mail verschicke, verschicke ich eine Kopie. Bei Bildern, Videos oder Songs ist es nicht anders. Das Internet ermöglicht das Teilen einer digitalen Ressource, ohne dass diese dadurch weniger wird. Diese Idee funktioniert natürlich mit Geld oder einem Wert nicht. Virtuelles Geld hatte deshalb so lange keine Chance, solange das »Double-Spending-Problem« nicht gelöst war. Eine Werteinheit, die doppelt und dreifach ausgegeben werden kann, hört auf, eine zu sein. Es brauchte also ein System, in dem Konsens darüber herrschte, wer gerade wie viel in einer digitalen Werteinheit besitzt, ohne blind auf Behauptungen oder eine zentrale Autorität vertrauen zu müssen. Wer Geld verschicken will, hatte das gleiche Problem wie die byzantinischen Generäle auf Kommunikationsebene.

Die Blockchain lässt diese dezentrale Willensbildung zu, ohne auf Boten, Autoritäten oder Vermittler angewiesen zu sein. Sie zeigt in Echtzeit, was gelten soll. Falsche Absichten zu verdecken, ist hier nicht möglich, da alles einsehbar ist. Es ist, als könnten sich die Generäle gegenseitig vor dem Angriff in die Köpfe schauen und ihre wahren Absichten vergleichen. Die Blockchain bildet also auf dezentrale Weise Willensbildung ab, und zwar so, dass diese nicht mehr einseitig zerstört, verfälscht oder rückgängig gemacht werden kann. Dieses Problem war bis 2008 ungelöst.

Bei Satoshi Nakamoto wird der Konsens durch das Bereitstellen von Rechenleistung und ein Belohnungssystem hergestellt. Nakamoto machte aus dem Vorgang ein Windhundrennen mit Köder. Wer im Bitcoin-Buchungssystem alle gerade anstehenden Transaktionen richtig bestätigt und ein kompliziertes mathematisches Rätsel löst (wofür es teure Energie und Rechenleistung – sogenannte Hashpower – braucht, gewinnt eine Anzahl Bitcoins. In diesem Moment wird ein neuer Block mit Transaktionen gebildet und Bitcoin »geschürft«. Und das globale Geldbuchungssystem ist auf dem neuesten Stand, was die Eigentumsverhältnisse angeht. Es besteht Konsens. Das Problem des doppelten Ausgebens einer virtuellen Werteinheit ist gelöst. In der Bitcoin-Blockchain wird alle zehn Minuten ein neuer Block generiert, also ein neues Windhundrennen gestartet. Der Köder, dem alle hinterherlaufen, ist eine gewisse Anzahl Bitcoins (derzeit 12,5). Wer heute in Berlin einen Bitcoin nach Singapur schickt, tut dies über ein Netzwerk von Servern, ohne dazwischengeschaltete Autorität, ohne Bankhaus, ohne Grenzkontrolle und unter dem Pseudonym der eigenen Bitcoin-Adresse.

Im Januar 2009 entstand der erste Block der bis heute längsten Blockchain. Der Wert des Bitcoin damals: ein paar Cent.

Satoshi Nakamoto war es also gelungen, ein System für elektronische Übermittlung zu schaffen, das ohne Vertrauen in eine übergeordnete Instanz auskommt. Was zunächst wenig spektakulär und technisch klingt, sollte in den folgenden Jahren große Konsequenzen haben.

Bis heute weiß niemand, wer Satoshi Nakamoto ist. Anders als das Magazin *Newsweek* vermutet hatte, war es auch Dorian Nakamoto nicht. Er widerrief in einem darauffolgenden Interview seine Aussagen, er sei missverstanden worden und hätte gedacht, die Fragen hätten sich auf seine Arbeit für Militärfirmen bezogen. Von Bitcoin habe er noch nie etwas gehört. Kurze Zeit später erschien die vorerst letzte Nachricht von Satoshi Nakamoto in einem Reddit-Forum. Sie bestand aus einem Satz: »I'm not Dorian Nakamoto.« Der Erfinder von Bitcoin ist verschwunden, seine Erfindung aber ist in der Welt. Und sie wird bleiben.

»People don’t understand Bitcoin because they don’t understand the money system.«

Andreas Antonopoulos

Über Geld denkt man nicht nach – und wenn doch?

6. Februar 2017. Bitcoin: 1017 $

1000 Dollar klingt gut. Mein Einsatz hat sich vervierfacht. Ich überlege, ob ich einen Teil verkaufen soll, entscheide mich aber dagegen. Bitcoin taucht jetzt auf immer mehr Szene-Websites und Twitter-Accounts auf. Marc schickt öfter WhatsApp-Nachrichten, in denen von »Mooning« die Rede ist. Ich muss das googlen. Es bedeutet wohl, dass viele Bitcoin-Anhänger der Meinung sind, der Kurs würde »to the moon« steigen – auf 100.000 oder eine Million US-Dollar. Das halte ich für völlig verrückt. Was mir aber einleuchtet, ist: Wenn die maximale Anzahl von Bitcoin auf 21 Millionen begrenzt ist, muss er nach dem Gesetz von Angebot und Nachfrage steigen. Das Angebot ist begrenzt, die Nachfrage potenziell riesig. Vielleicht taucht eines Tages eine andere Krypto-Währung auf, die Bitcoin den Rang abläuft, so wie heute niemand mehr auf StudiVZ surft, sondern nur noch auf Facebook.

Ich fange jetzt an, häufiger auf die Kurse zu schauen. Irgendwann wird der Kurs auch in der Aktien-App meines iPhones angezeigt.

Geld kommt von »gelten«, es wird als gegeben vorausgesetzt. Das ist schon seit Aristoteles der Fall: Der griechische Begriff für Geld (nómisma) leitet sich von nómos, Gesetz oder Autorität, ab. Geld ist gedruckte und gestanzte Macht. Das ist so, seitdem die ersten Stammesfürsten Kriege führten und die Abgaben der unterjochten Stämme in ihrer Währung einfordern konnten und das kleinasiatische Volk der Lyder 700 Jahre vor Christus die ersten Münzen prägten. In allen Staaten der Welt gibt es Gesetze über das, was die offizielle Währung, also das »gesetzliche Zahlungsmittel« ist. Im Euroraum ist es der Euro, in den USA der Dollar. Doch Geld und Währung sind nicht ein und dasselbe. Mittels Währungen garantiert der Staat durch ein gemeinsames Zahlungsmittel, dass stets ein Umlauf von Werten möglich und damit ein Wirtschaftskreislauf in Gang gehalten wird. Ein gesetzliches Zahlungsmittel muss vom Gläubiger schuldbefreiend akzeptiert werden, der Currywurst-Kiosk um die Ecke muss meine 2,50 Euro schlicht annehmen (es sei denn, ich komme mit lauter 1-Cent-Münzen daher). Es muss aber nicht das einzige Mittel sein, um schuldbefreiend leisten zu können. »Geld« ist erst mal nur ein Medium mit unterschiedlichen Funktionen und bestimmten Eigenschaften, egal ob es sich um staatliche Papiere, Gold, Zigaretten, Schnaps oder Bitcoin handelt:

Es ist begehrt, endlich, transportierbar und austauschbar. Es dient als Rechenmaßstab, Tauschmittel und Wertaufbewahrungsmittel.

Bisher aber basierte Geld auf Vertrauen in eine Autorität. Dieses Vertrauen haben in der Menschheitsgeschichte nahezu alle Autoritäten missbraucht. Der Erzliberale Friedrich August von Hayek stellte in seinem Buch *Entnationalisierung des Geldes* (1977) fest, dass es in der Regel Regierungen waren, die für die Instabilität des Geldsystems verantwortlich waren.

Eine kurze Geschichte über das Wesen des Geldes erzählt der Autor des Buches *The Bitcoin Standard,* Saifedean Ammous. Auf der Inselgruppe Yap im Pazifik gibt es die sogenannten Rai-Steine, das Steingeld, ein Währungskonzept, das dem der dezentralen Blockchain-basierten Währung von allen vorhandenen Beispielen am ähnlichsten ist. Die Steine können einen Durchmesser von bis zu vier Metern haben und bis zu fünf Tonnen wiegen. Auf den Yap-Inseln kommen Steine dieser Art aber gar nicht vor. Sie mussten auf beschwerliche Art mit Kanus von den 400 Kilometern entfernten Palau-Inseln herbeigeschafft werden. Da dies einen großen Aufwand erforderte, herrschte eine natürliche Knappheit an Steinen. Man kann sagen, das Steingeld war minimal inflationär, vielleicht sogar deflationär (bei stark steigender Wirtschaftskraft).

Wie aber konnten die Menschen mit einer Währung bezahlen, die mehrere Tonnen wog? Noch dazu in einer Gesellschaft, in der es keine Schrift gab? Durch Konsens. Wechselte einer der großen Rai-Steine den Besitzer, kamen die Bewohner der Insel zusammen und bestätigten die Transaktion.

Rai-Stein xy gehört von nun an nicht mehr Inselbewohner xy, sondern Inselbewohner vw (nur Männer durften Rai-Steine besitzen). Eigentum und Transaktion von Gütern wurden also dezentral und im Konsens bestätigt. Nichts anderes tut auch das dezentrale Kontobuch der Blockchain hinter Bitcoin.

Folgt man Ammous weiter – der übrigens ein dezidierter Keynes-Hasser und Anhänger der Österreichischen Schule ist, also sich gegen eine nachfrageorientierte Ausweitung der Geldmenge durch den Staat ausspricht –, funktionierte dieses Währungssystem ganz wunderbar, bis 1871 ein gewiefter irisch-amerikanischer Kapitän namens O'Keefe nach Yap kam. Mit seinen großen Schiffen brachte er kurzerhand eine Menge runder Steine mit und verursachte damit eine Inflation. Das über Jahrhunderte stabile Wirtschaftssystem der Yap-Inseln brach kurzerhand zusammen.

An diesem Beispiel lässt sich ganz gut erkennen, was während einer Inflation passiert. In diesem Fall war O'Keefe der Gewinner – mit seinen Steinen konnte er sich zunächst alles kaufen. Doch dieser Effekt hält nur kurzfristig. Denn irgendwann hat O'Keefe seine Waren und Dienstleistungen erhalten, die neuen Steine kursieren nun auf den Inseln. Der Wert der Waren und Leistungen sinkt, Preise, die über Jahrhunderte relativ stabil waren, beginnen plötzlich zu schwanken. Es kommt zu sozialen Umwälzungen und in deren Folge oft auch zu Aufständen und Revolutionen.

Schön und gut, möchte man einwenden, aber heute leben wir in einer stabilen Demokratie mit einer unabhängigen Zentralbank, die auf Preisstabilität bedacht ist. Es gibt keinen maliziösen O'Keefe mehr in unserer Welt. Nun ja, dann werfen Sie mal einen Blick auf die Bilanzstatistiken der EZB oder der Fed. Die westlichen Zentralbanken weiten seit Jahren die Geldmenge massiv aus. Damit kaufen sie Staatsanleihen von Regierungen, die sich über alle Maßen verschuldet haben, um viel zu großzügige Wahlversprechen zu realisieren. Bisher merken wir davon noch nicht viel: Wir stellen nur fest, dass die Immobilienpreise und Aktienkurse seit der Finanzkrise immer weiter steigen. Sind wir Immobilien- oder Aktienbesitzer, freuen wir uns. Alle anderen bemerken: Mit einem normalen Gehalt ist es heute selbst bei Doppelverdienern eigentlich unmöglich geworden, sich ein Eigenheim zu leisten.

Nach der Finanzkrise 2008 wurde die Geldmenge mit der Begründung ausgeweitet, die Wirtschaft vor einer Rezession zu schützen. Das ist gelungen. Die Folgen des Experiments aber sind bis heute nicht absehbar. Trotz all der Unwägbarkeiten, die das Eurosystem so beinhaltet, können sich die Bewohner westlicher Industriestaaten seit Jahrzehnten einer relativ stabilen Währung erfreuen. Völlig anders sieht die Lage aus, wenn wir einen Blick über den europäischen Tellerrand werfen. Zimbabwe, Venezuela und Argentinien, die jüngsten Beispiele von Hyperinflation, sind dabei noch weit weg. Die Türkei steuert gerade darauf zu, und wären Griechenland und Italien nicht mit aller Kraftanstrengung im Eurosystem gehalten worden, sähe es dort vielleicht ähnlich aus. Die Verlockung, kurzfristig das Wirtschaftswachstum durch eine Erhöhung der Geldmenge anzukurbeln, ist immer vorhanden. Und wann immer die Geldmenge schneller wächst als die Warenmenge, kommt es zur Inflation. Sparer werden bestraft und Schuldenmacher belohnt.

»Geld ist geprägte Freiheit«, meinte Dostojewski, und vielleicht mochte das für ihn als Liebhaber des Roulettespiels wahr sein. Aus der Sicht der Geldtheorie ist das Gegenteil der Fall. Unser Geld ist geprägte Unfreiheit. Geld entsteht durch Schulden. Jeder Euro, Dollar oder Yen ist ein Schuldschein, herausgegeben von einer Zentralbank, der gegen Zinsen zurückzugeben ist. Seitdem Nixon 1971 die Loslösung vom Goldstandard verkündete, ist der Gelddruckerei keine Grenze mehr gesetzt. George W. Bush verschuldete Amerika stärker als jeder Präsident vor ihm. Er nahm für die Rettung der Banken mehr Schulden auf, als für den gesamten Vietnamkrieg ausgegeben worden war. Obama nahm ebenfalls mehr Schulden auf als alle Präsidenten vor ihm – inklusive George W. Bush. Das Geldsystem ist ein Monopolyspiel, und wir machen mit, in der Hoffnung, unsere Position in diesem Spiel zu verbessern. Doch wie beim Monopolyspiel hat die Bank letztlich das Sagen. Und am Ende könnte es wie beim Monopoly laufen, wenn es heißt: »Und jetzt kommen alle Spielsteine und bunten Scheine zurück in die Box.«

Kryptopia könnte anders aussehen. 21 Millionen Bitcoin – das ist die maximale Menge, die gemäß einem Algorithmus bis zum Jahr 2140 im Umlauf sein wird (momentan sind es rund 17 Millionen). Mit der Zeit wird es immer schwieriger, neue Bitcoins zu schürfen – das ist in dem von Satoshi Nakamoto geschaffenen Algorithmus verankert.

Ist Bitcoin also Geld? Ja, denn es ist begehrt (Hacker betreiben täglich enormen Aufwand, um es zu stehlen), es ist selten (21 Millionen Stück), es ist tragbar (dank virtueller Geldbörsen reicht es sogar, nur einen Code im Kopf zu haben) und umtauschbar (bereits heute in zahlreiche Währungen oder Krypto-Währungen, und es wird immer häufiger als Zahlungsmittel akzeptiert).

Das Bitcoin-System ist deflationär, es ähnelt am ehesten dem Goldstandard, einem System, das zwischen 1871 und 1914 in den meisten westlichen Ländern galt. Jeder Franc, jeder Dollar, jede Reichsmark war mit einem bestimmten Teil von Gold hinterlegt. Die Zentralbanken verpflichteten sich, jederzeit Banknoten gegen Gold zu tauschen. Die Folge waren feste Wechselkurse, ein stabiler Wirtschaftskreislauf und nach Meinung mancher Ökonomen auch ein beispielloser Boom. Der Goldstandard wurde mit Beginn des Ersten Weltkrieges aufgegeben. Die Regierungen der Krieg führenden Parteien wurden zu O'Keefes, die die gesamte Wirtschaftskraft ihrer Bürger auf den Krieg konzentrieren wollten. Der Goldstandard war für dieses Projekt nur hinderlich. Zwar gab es Bestrebungen, die Golddeckung nach 1918 wieder einzuführen, doch dazu kam es nie. Heute gilt: Jede Geschäftsbank und die Zentralbanken schaffen Geld aus dem Nichts und geben es Unternehmen oder Staaten oder Einzelpersonen, die sie für kreditwürdig halten. Für jeden Euro, den eine Bank in ihren Büchern hat, kann sie 99 Euro aus dem Nichts zaubern. Das ist die sogenannte Mindestreserve im Euroraum. Den Anreiz für Geldschöpfung durch Kredite setzt die Zentralbank mittels der Leitzinsen.

Funktioniert das? Tatsächlich durften wir in den letzten 70 Jahren in Westeuropa einen beispiellosen Wohlstand erleben. Doch die Gefahr besteht, dass es sich dabei um eine teuer erkaufte, kurzfristige historische Anomalie handelt. Noch vor wenigen Jahren hielt man es aus ökonomischer

Sicht für unmöglich, dass es negative Zinsen gibt, man also für die Hortung von Geld bezahlen muss. Inzwischen wurde selbst das Realität. Es ist ein Zeichen der Krise, wenn das alte System noch nicht kollabiert, das neue jedoch noch nicht vollständig ausgebildet ist. Bitcoin ermuntert uns, diese Anomalien zu studieren. Egal ob es das inflationäre Papiergeldsystem eines John Law in Frankreich, die Assignaten in der Französischen Revolution oder die Hyperinflation in der Weimarer Republik waren: Wie es Goethe schon im *Faust II* zeigt, konnten Herrschende selten der Verführung entgehen, in Papier einen Wert hineinzuzaubern oder die Einlösung des Wertes in die Zukunft zu verschieben.

Ob wir nun kurz vor der Hyperinflation stehen oder weiter mit einem leichten Kaufkraftverlust im niedrigen einstelligen Prozentbereich leben werden, wissen wir nicht. Was sich aber sagen lässt: Steht ein inflationäres System einem deflationären gegenüber, beschleunigen sich die Mittelabflüsse von einem ins andere. Stellen Sie sich dafür einen Wirtschaftskreislauf vor, in dem Sie mit einem verderblichen Gut wie Äpfeln bezahlen. Jeder Marktteilnehmer weiß: Behält er den Apfel zu lange, wird er schlecht. Äpfel zu horten, hat also gar keinen Sinn, lieber versucht man, ihn schnell wieder loszuwerden und gegen etwas anderes einzutauschen. Man kann sagen, ein Apfelsystem ist inflationär: Seine Währung verliert beständig an Wert. Stellen Sie sich nun außerdem vor, Sie haben gleichzeitig die Möglichkeit, anstatt Äpfeln auch Briefmarken zu verwenden, die mit der Zeit immer wertvoller werden. Die Teilnehmer dieses Wirtschaftssystems werden logischerweise versuchen, die Äpfel loszuwerden und sie gegen Briefmarken einzutauschen. Äpfel werden an Wert verlieren, Briefmarken dagegen an Wert gewinnen.

Wahrscheinlich brauchen wir auf absehbare Zeit beides: inflationäre und deflationäre Zahlungsmittel; verderbliches Geld, das schnell in die Wirtschaft fließt und wie heiße Kartoffeln weitergegeben wird, und knappes Geld, das die Menschen horten, um ihre Ersparnisse zu schützen: Bitcoin, Gold oder Rai-Steine.

»You never change things by fighting the existing reality. To change something, build a new model that makes the existing model obsolete.«

R. Buckminster Fuller

Die Blockchain-Revolution

22. Mai 2017. Bitcoin: 2242 $

Unglaubwürdiges Staunen: Hat sich der Bitcoin-Preis gerade innerhalb der vergangenen vier Wochen verdoppelt? Wie ging das? Haben große Hedgefonds Bitcoin entdeckt? Liegt es daran, dass gerade immer mehr kleine Unternehmen auf den Markt kommen, die ihre eigenen Krypto-Währungen ausgeben, die man wiederum mit Bitcoin oder Ethereum bezahlen muss? Und was überhaupt ist Ethereum? Ich lese einen Wikipedia-Artikel darüber, aber verstehe es nicht. »Smart Contracts« – eine Art automatischer Vertrag? Egal, eigentlich möchte ich einfach nur für ein paar hundert Euro diese ETH kaufen, für den Fall, dass Ethereum irgendwann wichtiger wird als Bitcoin. Aber auf meiner Bitcoin-Börse werden die nicht angeboten, bei einer anderen scheitere ich erneut an der Authentifizierung wegen meines Wohnsitzes. Ich vertage das

Thema. Noch viel mehr aber beschäftigt mich die Frage, ob ich meine Bitcoins verkaufen soll. Ich liege jetzt knapp 400 Prozent im Plus. Ich möchte nicht noch mal dieselbe Erfahrung machen wie während der Dotcom-Blase. 1999/2000 hatte ich ein paar Aktien, Biotech, Internetfirmen – was damals eben so angesagt war. Zuerst stiegen sie wie verrückt, bis es plötzlich in die Gegenrichtung ging. Im Abwärtsstrudel aber wollte ich nicht verkaufen – ich, und eigentlich alle, die damals mit Aktien handelten, waren sich sicher, das sei nur ein »Dip«, ein kleiner Rücksetzer, bevor es wieder nach oben gehen würde. Tat es aber nie wieder. Das Geld war weg.

Andererseits: Warum sollte ich etwas verkaufen, das gerade wie verrückt steigt? Ich entscheide mich für den Mittelweg und verkaufe sechs Stück. Das ist zwar gegen meinen ursprünglichen Plan, aber eben auch eine Menge Geld – knapp 12.000 Euro.

Über 36.000 Menschen leben im jordanischen Flüchtlingslager al-Azraq. Die, die meist alles in ihrer Heimat zurücklassen mussten und heute in einer Zeltstadt wohnen müssen, sind gleichzeitig ganz vorne bei der Erprobung der Blockchain-Technologie im Alltag dabei. Wer in al-Azraq an einer der Supermarktkassen bezahlen möchte, muss seine Iris scannen. Eine Münchener Firma hat hier ein Zahlungssystem für Flüchtlinge via Blockchain installiert, das komplett ohne Banken auskommt. Gefördert hat das Projekt das UN World Food Programme. Das System basiert auf einer Abspaltung (»Fork«) der Ethereum-Blockchain.

In Finnland bekommen Asylsuchende ohne Konto eine Prepaid-Karte, die Zahlungen ermöglicht und als digitales

Ausweispapier fungiert: ebenfalls basierend auf der Blockchain-Technologie.

Diese Lösungen haben verschiedene Vorteile: Zunächst fallen die Bankgebühren fast vollständig weg. Auch Korruption und Bestechung werden eingedämmt, denn im Gegensatz zu Gutscheinen und Bezugsscheinen sind die Einträge in der Blockchain fälschungssicher und an die bedürftige Person gekoppelt. So führt die dezentrale Struktur auch zu einem Bürokratieabbau. Zudem ist das System leichter skalierbar, löst also auch logistische Probleme. Das Zahlungssystem in al-Azraq soll bald für 500.000 Personen gelten. Was als Flüchtlings-Prepaid-Karte in Finnland begann, könnte irgendwann auch Verbraucher in ganz Europa erfreuen.

Die Blockchain ist die Technologie, die hinter Bitcoin steckt. Ein dezentrales System in Form einer Blockchain kann - wie im Falle von Bitcoin - für digitales Geld eingesetzt werden. Aber das ist nur eine von vielen Anwendungen. Zugleich bedeutet die Blockchain auch eine Weiterentwicklung der Buchführung. So wie die doppelte Buchführung, also das Fixieren von Ein- *und* Ausgaben, die mittelalterliche Wirtschaft revolutionierte und so die Voraussetzungen für den modernen Kapitalismus schuf, wie das der deutsche Soziologe Werner Sombart vermutete, könnte mit der Blockchain die Ära der dreifachen Buchführung begonnen haben. Jetzt sind alle Transaktionen für alle Teilnehmer sichtbar. Noch wichtiger ist: Das System kann praktisch nicht verändert werden. Da alle Teilnehmer permanent auf dem neuesten Stand der Transaktionen sind, ist Betrug, also eine Veränderung der Einträge, nur möglich, wenn mindestens 51 Prozent der Teilnehmer diesen auch bestätigen. Über die Hälfte aller Daten zu hacken, erfordert allerdings einen gigantischen Rechenaufwand - und damit ein finanzielles Risiko. Eine Blockchain ist im Idealfall dezentralisiert, liegt in den Händen vieler, nicht einer einzelnen Institution, einer Regierung oder eines Unternehmens. Das eröffnet eine ganze Reihe von neuen Anwendungen.

So lassen sich zum Beispiel Eigentumsverhältnisse mit einer Blockchain abbilden. Ein virtuelles Katasteramt ist praktisch umsetzbar und dürfte in vielen Teilen der Welt, in denen zum Beispiel Landeigentum nicht klar geregelt ist, Anwendung finden. In Kenia, wo doppelte Eintragungen der Eigentumsverhältnisse durch korrupte Beamte ein Problem darstellen, arbeitet man derzeit an einem Grundbuch auf der Blockchain - in Schweden und Georgien ebenfalls.

Während manche Blockchains jedes Ei im Supermarkt garantiert einem bestimmten Bauernhof zuordnen können, was im Fall von Lebensmittelskandalen von unschätzbarem Wert ist, führen andere Buch über Personen, deren Besitz oder deren Krankheiten. Was nach Orwell klingt, kann auch Freiheit heißen. Denn, nochmals, im Gegensatz zu Dokumenten aus Papier, die im Extremfall von einer Organisation eingezogen werden können, ist eine durch die Blockchain erfasste Registrierung fälschungssicher und ewig. Einem Bewohner von Kryptopia das Bankkonto zu sperren, ist unmöglich.

Oft kann die Blockchain in Entwicklungsländern mehr leisten als für uns im reichen Westen oder im Tech-affinen asiatischen Raum, weil sie Strukturen einführt (Zahlungssysteme, Grundbücher, Registerakten, Geburts- und Sterberegister), wo es früher keine gab oder das Vertrauen in ihre Gültigkeit nicht gegeben war. Besonders in ärmeren Ländern ist der bürokratische Aufwand für zum Beispiel eine Kontoeröffnung oder eine Eigentumsüberschreibung oft enorm hoch und mit Kosten verbunden. Während in Deutschland ein Notar nötig ist, um einen Grundstückskauf zu vollenden, muss man ihn in der Türkei schon für eine Kontoeröffnung heranziehen.

Auch den Bereich der Wohltätigkeit und der Spenden könnte die Blockchain revolutionieren: Statt große und im Verwaltungsaufwand teure Hilfsorganisationen zu alimentieren, die mit zweifelhaften Gatekeepern verhandeln müssen, könnte mittels dezentraler Strukturen die Hilfe dort ankommen, wo sie wirklich nötig ist – und zudem noch ihre Effizienz transparent nachvollzogen werden. Das Start-up Paxful hat in Ruanda Kindergärten gebaut und plant den Bau von 100 weiteren Schulen – #builtbybitcoin. Aber auch viele klassische Unternehmen haben heute die möglichen Anwendungsformen der Blockchain erkannt, egal ob Autobauer, Wirtschaftsprüfer, Anwaltskanzleien, Banken, Logistikunternehmen oder Bergbaubetriebe. In Deutschland kooperiert zum Beispiel VW mit IOTA für Anwendungen des Internets der Dinge. Die Idee des Unternehmens: Mittels eines Blockchain-ähnlichen Systems können Dinge wie zum Beispiel autonom fahrende Autos mit Robotern kommunizieren, Waren verschicken und sich gegenseitig dafür bezahlen.

Ein großer Entwicklungssprung im Blockchain-Bereich war Ethereum, eine Plattform, die es ermöglicht, Transaktionen zu programmieren und automatisch auszuführen, die sogenannten Smart Contracts. Wenn Bitcoin & Co. in Kryptopia das Geld ersetzt, so ist Ethereum die neue dezentrale

Toolbox. Entwickelt hat das Projekt der in Kanada lebende Russe Vitalik Buterin. 2015, als Ethereum ans Netz ging, war er gerade einmal 21 Jahre alt. Um auf der Ethereum-Plattform ins Geschäft zu kommen, braucht man die dazugehörige Währung Ether. Auch deren Kurs explodierte 2017: Von zehn US-Dollar im Januar auf über 1300 im Dezember.

Mit Ethereum schossen plötzlich überall Start-ups aus dem Boden, die Blockchain-basierte Lösungen anboten – die meisten von ihnen bauen auf der Ethereum-Blockchain auf. Nicht immer und überall waren für diese Lösungen auch Probleme vorhanden. Der Grund für dieses rasante Start-up-Wachstum ist noch ein anderer: Es gibt jetzt ein völlig neuartiges Finanzierungsmodell. Die meisten dieser neuen Projekte geben Tokens aus, Blockchain-basierte Werteinheiten, die wie virtuelles Geld in einer virtuellen Welt funktionieren. Wert haben sie zunächst nur innerhalb eines geschlossenen Systems, so als spiele man *Super Mario* und sammle Münzen im Spiel ein. Doch diese Münzen, Tokens oder Coins, werden zugleich auf Krypto-Börsen gehandelt. Im Mai 2013 waren gerade mal zehn dieser Projekte gelistet. Ende 2017 war diese Zahl auf 1335 sogenannter Token angewachsen – und sie explodierten im Wert.

Wer ein Blockchain-Start-up in Kryptopia gründen möchte, braucht dafür keinen Bankkredit, keinen Business-Angel-Investor und keinen klassischen Venture Capitalist mehr. Im Extremfall reicht eine Idee, eine kleine Community und die Ausgabe von Tokens. Selbst das Marketing und die Werbung für das Projekt werden im Idealfall dezentralisiert. So entstanden innerhalb weniger Monate Tausende von ICO, »Initial Coin Offerings«. Eine neue Gründerzeit brach an. Über sieben Milliarden Dollar konnten Start-ups im Blockchain-Bereich an Investitionsgeldern über diese Blockchain-basierten »Börsengänge«, im Jahr 2017 generieren – das war mehr als die Frühförderung durch klassische Venture Capitalists (VCs). Mitte 2018 stehen wir bei weiteren neun Milliarden Dollar an eingesammeltem Kapital.

Manche Firmen hefteten sich nun sogar das »Label« Blockchain an, um ihren Aktienkurs zu steigern, die Dotcom-Ära lässt grüßen. So machte 2017 auch eine Ice-Tea-Firma auf Blockchain, der Kurssprung von 500 Prozent war aber nur von kurzer Dauer. Auch die Kodak-Aktie sprang um mehrere Hundert Prozent nach oben, als bekannt wurde, die Firma wolle einen KodakCoin herausgeben. Ein Token ohne Funktion oder Koppelung an ein notwendiges Geschäftsmodell ist wertlos, ein »Shitcoin«. Jeder kann heute einen Token beispielsweise auf der Ethereum-Blockchain selbst kreieren, so wie eben jeder ein Blatt Papier nehmen, eine Zahl drauf schreiben kann und behaupten kann: »Das sind fünf Müller-Dollar, und mit denen kannst du in einem 10.000 Kilometer entfernten Inselstaat bezahlen.« Es braucht dann nur noch einen Käufer und voilà: Schon ist die Marktkapitalisierung da. Die Website Dead Coins listet Betrugsfälle und versandete ICOs auf – ein stetig wachsender Token-Friedhof, auf dem im Juli 2018 über 800 Einträge verzeichnet waren.

Die Marktkapitalisierung des gesamten Krypto-Marktes kam gegen Ende des Jahres 2017 auf über 800 Milliarden Dollar. Bitcoin, das Geld und Gold in Kryptopia, stellte davon nur noch ein Drittel. Von der Idee der Dezentralisierung und der Entscheidung via Konsens ist bei vielen dieser Projekte nichts mehr übrig. Bei Unternehmen wie Ripple (aber auch vielen anderen), die den internen Zahlungsverkehr revolutionieren wollen, ist die Blockchain-Technologie mit einer herkömmlichen Unternehmensstruktur kombiniert. Das Produkt mag noch revolutionär sein, mit der Idee der libertären Bitcoin-Jünger vom staatenlosen Geld aber haben diese Projekte nichts mehr gemeinsam.

So entsteht in Kryptopia gerade ein eigenes wirtschaftliches Ökosystem. Die Token-Ökonomie bringt reale Wertgegenstände in die virtuelle Welt und ermöglicht den direkten Austausch ohne Mittelsmänner. In Zukunft könnte jemand in Singapur jemandem in Deutschland einen Privatkredit geben und sich dafür zehn Prozent des Eigentums an dessen tokenisiertem Haus am See zur Sicherheit übertragen lassen. Der Austausch wird in Zukunft direkter und persönlicher verlaufen. Die Welt wächst näher zusammen.

Bis wir in Kryptopia angekommen sind, dürften noch einige Jahre vergehen. Bisher dreht sich vieles um die Frage, wie man einen gesetzlichen Rahmen für diese anarchokapitalistischen Unternehmensgründungen findet. In den letzten Monaten haben sich eben auch die Betrugsfälle in der Krypto-Community gehäuft. Denn wer ohne rechtlichen Rahmen Geld einsammeln kann, dem fällt es auch nicht schwer, sich mit ebendiesem Anlegergeld aus dem Staub zu machen.

Es ist übrigens heute schon möglich, Bürger von Kryptopia zu werden. Das Projekt Bitnation ist schon heute ein Krypto-Staat, der Geburtsurkunden, Pässe und Gesundheitszertifikate ausstellt. Jeder kann diesem Staat heute schon beitreten – ohne dort Steuern zahlen oder irgendwelche Verpflichtungen eingehen zu müssen. Eine überflüssige

Internet-Spielerei? Weltweit gibt es Mitte 2018 68 Millionen Menschen, die sich auf der Flucht befinden – so viele wie noch nie. Einigen, wie zum Beispiel der Minderheit der Rohingya in Myanmar, wird die Staatsbürgerschaft schlicht verweigert.

In Kryptopia werden nicht nur die Banken überflüssig sein, sondern auch die Staaten.

»Wenn du ein Schiff bauen willst, dann trommle nicht Männer zusammen, um Holz zu beschaffen, Aufgaben zu vergeben und die Arbeit einzuteilen, sondern lehre sie die Sehnsucht nach dem weiten, endlosen Meer.«

Antoine de Saint-Exupéry

Schiffe bauen in Kryptopia oder: Wie entsteht eigentlich ein Start-up?

30. August 2017. Bitcoin: 4588 $

Immer öfter taucht Bitcoin jetzt auch in etablierten Medien auf: Im Wirtschaftsteil der Süddeutschen Zeitung, *im* Spiegel, *im* Handelsblatt. *In Großbritannien versucht angeblich ein junger Mann, seine Gemeinde davon zu überzeugen, die hiesige Müllkippe umgraben zu lassen. Er hat vor Jahren eine Festplatte weggeworfen, auf der über 100 Bitcoins liegen. Der* Economist *redet von einer Spekulationsblase, die bald platzen wird. Doch im Internet schwellen die Foren, YouTube-Kanäle und Twitter-Accounts an. Plötzlich will jeder etwas über Bitcoin und Co. wissen. Gleichzeitig tauchen immer wieder Geschichten von Bitcoin-Millionären auf: Nerds und Freaks, viele noch keine 25 Jahre alt, die sich plötzlich einen Lamborghini leisten und mit Goldketten in Form eines großen* B *für Bitcoin herumlaufen. Und es ist überhaupt kein Ende in Sicht!*

FOMO heißt das im neuen Krypto-Sprech »Fear of Missing Out«. Milosz erzählt mir von neuen Krypto-Währungen: Litecoin ist eine Art schnelleres Bitcoin, Ripple soll den Zahlungsverkehr zwischen Banken revolutionieren, und Ether ist eine Plattform, auf der Blockchain-Unternehmen operieren. Ich will mir ein zweites Konto bei Bitstamp eröffnen. Dort gibt es nicht nur Bitcoin, sondern auch Litecoin, Ripple und Ethereum. Aus irgendwelchen Gründen klappt es dieses Mal mit der Authentifizierung. Jetzt muss ich noch Geld auf ein Konto in Slowenien überweisen. Dabei hat die Krypto-Börse ihren Hauptsitz in Luxemburg, und die auf der Website angegebene Adresse ist in London. Egal, es funktioniert. Drei Tage später ist das Geld auf meinem neuen Konto, und ich bin Besitzer von Litecoin, Ripple und Ether, kurz LTC, XRP und ETH.

Von Netzwerkeffekten ist jetzt oft die Rede: Wenn nur ein Mensch ein Handy besitzt, ist es wertlos. Tun es jedoch Millionen, entsteht ein Netzwerk, das mit jedem weiteren Nutzer wertvoller wird. So ist es auch bei Facebook, Instagram oder Snapchat. Das Wachstum von Netzwerken folgt jedoch nicht linearen Mustern, die wir uns gut vorstellen können, sondern exponentiellen Mustern, mit denen unser Gehirn gerne überfordert ist. Wir sehen diese Schübe schon beispielhaft bei Innovationen, wie zum Beispiel bei der Speicherkapazität von Computern: IBM schuf im Jahre 1950 eine Festplatte mit 3,5 Megabyte. In den 60ern waren es ein paar Dutzend. Danach stieg es auf 70 Megabyte in den 1970er Jahren. In den 90ern waren es bereits 200 bis 500. 2006: 250 Gigabyte. 2017: 60 Terabyte. So gesehen, muss Bitcoin noch viel höher steigen.

Paris im September 2017: Ein Mann springt auf die Bühne. Er ruft: »Fintech? … Labs!« Das heißt: Er ruft »Fintech!«, wir rufen »Labs!«. Und zwar bitte lauter und noch mal. Er: »Fintech?« Wir: »Labs« Das letzte Mal hatte ich so etwas vor 15 Jahren erlebt, als ich bei einem Finanzvertrieb Versicherungen verkaufte. Allerdings riefen wir da im Chor: »Geld! Geld! Geld!« Hier ruft keiner »Geld!«, denn gleich beginnen die Pitches, die Nervosität steigt. Jeder, der will, hat nun eine Minute Zeit, um sein Projekt vorzustellen. ich sitze mit rund 100 jungen Menschen im Präsentationsraum eines Coworking-Space. Die Stimmung ist gespannt. FintechLabs hat zu einem »Hackathon« geladen, das ist ein Marathon für Hacker, ein Wettbewerb für Start-ups. Für viele von uns ist es der erste. Die Herausforderung: Innerhalb von 48 Stunden soll man von einer Idee zu einem vorzeigbaren Projekt kommen.

Wer nicht pitcht, bekommt drei Post-it-Zettel und kann damit den anderen Projekten eine Stimme geben. Die besten 24 Projekte kommen in die nächste Runde und werden in Teams bearbeitet, die sich hier vor Ort finden.

Ein junger Mann aus dem Senegal dreht sich zu mir um, lacht und sagt: »You're a man with a plan, I can see it.« Sieht man es mir an, dass ich hier etwas vorstellen will? In der Tat, ich habe eine Idee. Nur bin ich unsicher, ob sie irgendwer verstehen wird: Die Idee ist juristisch, sie klingt etwas altbacken und ist definitiv nicht so hip und cool wie das nächste Virtual Reality Gaming Start-up.

Ein paar Monate zuvor fragte mich mein Vater, der als Anwalt arbeitet, ob ich ihn nicht bei Testamentsvollstreckungen unterstützen will. Zu dieser Zeit fing ich an, mich täglich stundenlang in das Thema Blockchain einzuarbeiten. Ich fragte: »Worum geht's?« Er meinte: Man vollstreckt den letzten Willen, also das Testament einer verstorbenen Person. Man macht eine Inventur der Güter und sorgt dafür, dass die Erben das bekommen, was sie bekommen sollen. Dafür bekommt man eine prozentuale Vergütung, manche Anwälte nehmen fünf Prozent, manche zehn Prozent der Nachlasssumme. Es klang wie eine Lizenz zum Gelddrucken. Der Testamentsvollstrecker hat in Deutschland und in vielen Ländern eine ungeheure Macht: Er allein verfügt bis zur Verteilung des Vermögens über alles, was der Verstorbene besaß. Kein Erbe hat hier erst mal etwas zu melden. Es ist ein klassischer Gatekeeper-Job, man vertraut einer zentralen Instanz. Das kann auch zu Streitigkeiten und Problemen führen: Im Fall von Axel Springer klagte der Enkel Axel Sven Springer, weil er sich durch den Testamentsvollstrecker übervorteilt fühlte. Laut einem früheren Testament sollte er 25 Prozent erben, Friede Springer 50 Prozent. Am Ende bekam er fünf Prozent und Friede Springer 70 Prozent. Der Testamentsvollstrecker meinte, dass Axel Springer sein Testament kurz vor dem Tod mündlich geändert habe. Für mich war seitdem klar: Diesen Prozess muss man verbessern, wenn nicht automatisieren. Ich will Gatekeeper ersetzen, nicht selbst einer sein.

Als ich auf die Bühne steige, denke ich an Axel Springer und seinen Enkel. Ich rufe: »Testamente gibt es seit 5000 Jahren. Und seitdem es welche gibt, brauchte es immer einen Vollstrecker des letzten Willens. Bis jetzt.« Denn ein auf der Blockchain verewigtes Testament stirbt nie und lässt sich auch nicht durch andere abändern. Zudem könnte der

Erblasser die Verteilung seines Vermögens durch Smart Contracts selbst durchführen und somit über den Tod hinaus Kontrolle über diesen Prozess behalten. Ich nenne mein Start-up »Eternitas«, denn ich will den letzten Willen auf der Blockchain unsterblich machen. Als automatisierter Vorgang ginge es sicherer, schneller und billiger. Und zwar über ein Netzwerk statt über einen Notar. Als ich nach meinem Pitch von der Bühne steige, habe ich über 25 Post-its auf meinem Eternitas-Schild und eine Gruppe von 7 Mitarbeitern für 48 Stunden: Juristen, Softwareprogrammierer, einen Banker, einen Studenten, einen Designer, eine Social-Media-Expertin.

Zwei Tage und nur wenig Schlaf später stehen wir gemeinsam auf der Bühne und pitchen Eternitas erstmals vor Investoren und Venture Capitalists. Quälende Minuten vergehen, dann werden wir als zweite Sieger von 24 Teams aufgerufen. Als Preis gibt es eine Drohne. Das Siegerteam hatte bereits seit sechs Monaten an einem Prototypen getüftelt. Es geht also tatsächlich, eine Idee innerhalb von 48 Stunden zu einem Projekt zu machen. Und ich habe meine erste Lektion in Sachen Dezentralität und Schiffebauen gelernt.

Alte Schiffe muss man nicht versenken, doch man muss bessere bauen. So funktioniert Innovation. Die Gründer auf Kryptopia greifen die alten Onlineplattform-Modelle an, also zentrale Akteure, die eine Monopolstellung einnehmen und von oben nach unten regieren. Sie kehren den Prozess um: von unten nach oben, bottom-up. Und das Dank der Kraft einer Community, die zugleich ähnlich wie Teilhaber fungieren. Vieles spricht dafür, dass die Zeit für Neues gekommen ist: Dem alten Modell geht langsam die Luft aus. Plattform-Modelle kommen aus der Mode. Monopolisten wie Facebook, Uber oder Airbnb stehen in der Kritik. Dem Y-Combinator im Silicon Valley, der viele Internetfirmen hervorgebracht hat, gehen die großen Ideen aus. Der Fokus der Branche verlagert sich hin zu dezentralen Modellen: Warum nicht ein Facebook auf der Blockchain, bei dem die User über die Verwendung ihrer Daten entscheiden können? Warum nicht ein dezentrales Airbnb ohne Provision? Für den Vordenker Jeremy Rifkin ist Dezentralisierung die Zukunft: Die Welt könnte so einen Schub an Produktivität erleben; zugleich würden sich unsere Vorstellungen von Arbeit, Eigentum und Leben ändern.

Eternitas wächst seit dem Startschuss in Paris kontinuierlich. Zwei Monate später folgte der nächste Hackathon im Crypto Valley in Zug. Wir kamen in die Top 20 von über 100 weltweiten Teams. Weitere Hackathons und erste Kooperationen folgten, das Team arbeitet nun in Paris, Berlin, Zürich und München an der Idee. Erste Gespräche mit Investoren, Versicherungskonzernen und Partnerfirmen folgten, aber auch ein paar Enttäuschungen: Der Finanzchef (CFO), den ich einstellen wollte, entpuppte sich als Hochstapler, der Scheinfirmen aufgebaut hatte. Auch auf Kryptopia gibt es schwarze Schafe, zudem wimmelt es nur so von Influencern und Marketingmenschen. Die verdienen gerade am meisten – die Gründer kommen am Ende. So ist das wohl überall.

Am Ende geht es den meisten Gründern, die ich kennengelernt habe, um »Impact«. Auffallend vielen Gründern sind zudem Wohltätigkeitsaspekte ihres Konzepts mindestens ebenso wichtig wie das Geschäftsmodell selbst. Die Motivation bei vielen ist eher »etwas bauen, was die Welt brauchen könnte«, oder »etwas bewegen«. Nicht Geld steht im Vordergrund, sondern der Nutzen. Auch wir wollen mit unserer automatisierten Testamentsvollstreckung die Erblasser dazu animieren, einen Teil ihres Vermögens zu spenden, zum Beispiel an Blockchain-Projekte in Afrika. Auf einem Hackathon lernte ich Raúl kennen, der das Projekt »Democracy Earth« vorstellte, eine Art »direkte Demokratie« auf der Blockchain für die gesamte Welt. Ich fand die Idee genial und stellte ihm Eternitas vor, da ich mir dachte, dass ein paar Erblasser in Zukunft genau für solche Projekte spenden könnten. Was ich nicht wusste: Raúl arbeitete zugleich für Consensys, einen der größten Inkubatoren im Blockchain-Bereich, gegründet von Ethereum-Mitbegründer Joe Lubin. Dank Raúl bekam ich die Gelegenheit, Eternitas vor Consensys zu pitchen, live über Skype von Berlin nach New York. Seitdem sind wir in Gesprächen über eine Zusammenarbeit. Und das Beste daran war für mich: Der Kontakt kam eher über die Charity-Schiene zustande, als über die Idee, viel Geld zu verdienen. Es ist gerade dieses Mindset, auf das man in Kryptopia immer wieder trifft: intrinsische Motivation vor Geld. Die Wege sind kurz auf Kryptopia.

»Slowly the world wakes up to the nonsense that shutting down a completely decentralized system is possible.«

Andreas Antonopoulos

»Stop trying to create money!«

Agustín Carstens, oberster Zentralbanker

Zwischen Verbot und FUD: Ist Bitcoin unaufhaltbar?

15. September 2017. Bitcoin: 3387 $

Gestern ist der Bitcoin-Kurs von über 4000 auf 3300 Dollar eingebrochen. Fast 30 Prozent minus an nur einem Tag. Einfach pulverisiert, vernichtet, im virtuellen Krypto-Nichts verschwunden. Emotionale Zustandsbeschreibung: Heulen und Zähneklappern. Das Gegenteil von FOMO heißt FUD: »Fear, Uncertainty and Doubt«. Das war es jetzt, der Boom ist zu Ende. Ich suche nach Erklärungen. So etwas kann ja nicht einfach so geschehen, obwohl das manche Börsenratgeber behaupten. Sie sagen »Kurse machen Nachrichten«.

Für jemanden, der gerade zwei bis drei Monatsgehälter verloren hat, ist das aber eine unbefriedigende Antwort. Charttechnik, Elliot-Wellen, Mustererkennung – an all das glaube ich nicht mehr, seitdem ich Anfang der nuller Jahre mit Optionsscheinen gehandelt habe und viel Geld verloren habe.

Linien in einen Chart malen, um damit in die Zukunft sehen zu können? Wenn irgendjemand Kurse prognostizieren könnte, dann wäre er verdammt schnell reich, und alle anderen arm.

Ich wühle mich durch Twitter und Facebook-Foren – mittlerweile folge ich Dutzenden Krypto-Twitterern und bin Mitglied in mindestens drei Facebook-Gruppen – und werde schließlich fündig: China will angeblich alle Bitcoin-Börsen verbieten. Das ist wahrscheinlich der Anfang vom Ende. Peking fängt an, und alle anderen folgen. Irgendwann sitzen dann noch ein paar Nerds auf wertlosen Internet-Coins, von denen man eh nie so genau wusste, um was es sich dabei handelt. Je länger ich darüber nachdenke, desto panischer werde ich. Wer jetzt nicht verkauft, steckt den Kopf in den Sand und wird alles verlieren. Jede Bubble platzt irgendwann, und immer beginnt es mit einem Mini-Crash. Ich bin irrsinnig froh darüber, im August einen Teil meiner Bitcoins verkauft zu haben.

Stellen Sie sich für einen Moment vor, Sie seien Chinese. Sie sind 40 Jahre alt. Es ist 19 Uhr, als Sie Ihr Büro im 37. Stockwerk im Schanghaier Stadtteil Pudong verlassen und sich auf den Heimweg in Ihrem Porsche Cayenne machen. Wie jeden Abend stehen Sie im Stau. Ihr Jahreseinkommen liegt bei 100.000 US-Dollar, Ihre Frau verdient nochmals 50.000 US-Dollar. Seit fünf Jahren sind Sie Vater einer Tochter. Da das chinesische Schulsystem aus Menschen muskelarme, blasse Roboter macht, wollen Sie, dass sie so bald wie möglich eine Schule im Ausland besucht. Selbstverständlich sind Sie Patriot. Schließlich hat die kommunistische Partei dieses Land zu Wohlstand geführt. Klar, Dissidenten haben es nicht so leicht in China. Aber der großen Mehrheit Ihrer

Landsleute geht es heute zehnmal so gut wie vor zehn Jahren und zwanzigmal so gut wie vor zwanzig Jahren.

Auch das Social-Credit-Ranking, wenn es 2020 demnächst eingeführt werden wird, stört sie nicht: Da Sie über einen exzellenten Lebenslauf verfügen, keine verbotenen Medien konsumieren, keine Schulden haben, da Sie, kurz gesagt, ein tadelloser Bürger der chinesischen Volksrepublik sind, dürfte Ihr Rating die Höchstnote AAA bekommen.

Bloß ...

Die Luft hängt trüb und schwer über den Straßenschluchten. Die Farben verblassen, Sie werfen einen Blick auf Ihre App, die die Luftverschmutzung anzeigt: »Sehr ungesund« zeigt sie an, aber so ist die Luft eigentlich an den meisten Tagen in Schanghai. Darauf rauchen Sie erst mal eine.

Gerade erst hat sich Ihr Staatspräsident seine eigene Amtszeitbeschränkung abgeschafft. Sie hören vom drohenden Handelskrieg mit den USA. Was passiert, wenn die Zentralbank die chinesische Exportwirtschaft stärken muss? Wenn sie dazu den chinesischen Renminbi abwertet, damit chinesische Produkte im Ausland wieder billiger werden? Was ist, wenn es zum Krieg kommt?

Gedankenverloren fahren Sie mit überhöhter Geschwindigkeit in den Tunnel ein, der Pudong mit dem alten Schanghai verbindet. Eine Kamera hat Sie und Ihr Nummernschild bereits erfasst. Da das Kennzeichnen mit Ihrem WeChat-Konto und dieses wiederum mit Ihrem Bankkonto verknüpft ist, müssen Sie sich um nichts weiter kümmern: Die Strafe wird automatisch abgebucht. Gerne würden Sie Ihr Geld deswegen ins Ausland bringen und damit ein Haus in Vancouver kaufen. Aber das funktioniert nicht.

50.000 US-Dollar. Das ist der maximale Betrag, den ein chinesischer Staatsbürger im Jahr außer Landes bringen darf. 2015 lebten in dem formell sozialistischen Staat eine Million Dollar-Millionäre. Das heißt, es gibt sehr viele Menschen, die gerne mehr als 50.000 US-Dollar ins Ausland bringen möchten.

Neben der ausgeprägten Wettleidenschaft der Chinesen waren es die Kapitalverkehrskontrollen der chinesischen Regierung, die den ersten Bitcoin-Boom entfachten. 2013 stieg die Währung innerhalb weniger Monate von 100 Dollar auf 1100 Dollar. Bis ins Jahr 2017 machten chinesische Börsen 90 Prozent des globalen Bitcoin-Handelsvolumens aus. Selbst der bisher größte Hacker-Angriff, der die Pleite der japanischen Börse Mt. Gox nach sich zog, änderte daran nichts. Kurz darauf, im Februar 2014, traf ich Kenneth Ling, der damals die Börse BTC China betrieb. Er sah in etwa so aus, wie er seine Kunden beschrieb: Männlich, jung und nach zu viel Zeit vor dem Computer und zu wenig an der frischen Luft. Der feingliedrige Mann mit der randlosen Brille und den großen Ohren saß im 23. Stock eines Hochhauses in Schanghai und sah zu, wie die Umsätze der damals zweitgrößten Bitcoin-Börse Woche für Woche stiegen. Dass die chinesische Regierung dem nicht tatenlos zusehen würde, war damals schon klar. Im Juni 2014 verbot Peking Neukunden, Yuan-Konten bei BTC China und Huobi zu eröffnen. Nichts tat sie jedoch gegen die riesigen Mining-Firmen, die zum Beispiel in der inneren Mongolei bei der Geisterstadt Ordos noch immer die Transaktionen bestätigen und dafür Unmengen von Elektrizität verschlingen. Strom ist in der Volksrepublik subventioniert und deswegen so günstig wie in kaum einem anderen Land. BTC China gibt es heute nicht mehr, auch Ling ist nicht mehr auffindbar. Wahrscheinlich hat er sich mit einem Bitcoin-Vermögen längst nach Kanada oder in die USA abgesetzt.

China ist, und war schon immer, ein Top-down-Land: Ein Kaiser, ein Diktator, eine Partei regiert von Peking aus ein Riesenreich. Die Durchsetzungskraft der Pekinger Verordnungen – auch das hat sich in 4000 Jahren kaum verändert – sinkt, je weiter man sich geografisch von der Hauptstadt entfernt. So spürt man von der Regulierungswut und der Staatsparanoia in Schanghai oder Schenzhen deutlich weniger. Eines aber ist überall gleich: Aufgrund der massiven historischen Umwälzungen der letzten 100 Jahre und der Willkür, mit der die Partei trotz diverser Fortschritte an Rechtsstaatlichkeit ihre 1,3 Milliarden Bürger regiert, haben die Chinesen ein geringes Vertrauen in ihre Institutionen. Sie wissen, wie fragil diese letztlich sind.

Eine Ausnahme? Das glaubt man, wenn man nach 1950 in Westdeutschland geboren ist. Seit siebzig Jahren hat man dann nämlich das Glück genießen können, in einem Rechtsstaat zu leben, der dem Individuum größtmögliche (über den Superlativ lässt sich freilich streiten) Freiheit zukommen lässt, dessen Zentralbank die in der Verfassung festgeschriebene Aufgabe hat, für Preisstabilität zu sorgen, dessen Regierung mit den Steuergeldern seiner Bürger im Großen und Ganzen sinnvolle Dinge anstellt und dessen Pass seinen Bürgern visumfreies Reisen in über 180 Länder ermöglicht. Gratulieren wir uns für einen Moment dazu, denn es ist die momentane wie historische Ausnahme.

Während wir vor allem wegen der jüngeren Geschichte in Ostdeutschland noch recht konkret vor Augen haben, was die totale Überwachung und der Verlust von Privatheit bedeuten kann, fehlt uns diese Erfahrung im monetären Bereich. Dort applaudieren wir, wenn Investigativjournalisten ein Steuerschlupfloch schließen oder die Schweiz das Bankgeheimnis endlich abschafft. Es sind ja nur die Reichen und vor allem die kriminellen Reichen, die es trifft. Das ist richtig, aber nur zum Teil. Ein Großteil der Menschheit lebt eben nicht in Staaten, deren Regierungen die Steuergelder ihrer Bürger sinnvoll einsetzt. Laut des aktuellen Reports von Freedom House leben 2018 nur 39 Prozent der Menschen in freien Demokratien. Längst nicht in jedem Staat gibt es eine von der Regierung unabhängige Zentralbank, die auf Preisstabilität bedacht ist. Viel häufiger leben Menschen unter einer Regierung, die zur Finanzierung unsinniger Projekte oder zur Aufrüstung entweder die eigene Währung entwertet oder massiv Schulden aufnimmt. China ist das vielleicht drastischste Beispiel – dort wurden in den vergangenen Jahren ganze Geisterstädte gebaut – all das mit dem Geld der chinesischen Steuerzahler. Bitcoin und andere Krypto-Währungen sind eine Antwort auf eine zunehmende Überwachung, die, einmal außerhalb demokratischer und rechtsstaatlicher Kontrolle geraten, totalitär werden wird. Gegenwärtig herrscht in mehr als zehn Ländern der Welt Hyperinflation (darunter Venezuela, Zimbabwe und die Ukraine). Kapitalverkehrskontrollen sind momentan in rund zwanzig Ländern in Kraft – bis vor Kurzem zählten dazu auch weniger exotische Staaten wie Griechenland und Island. Für die Regierungen dieser Länder mag es kurzfristig sinnvoll sein, den Abfluss von Kapital zu verhindern. Darunter leiden aber vor allem die einzelnen Bürger.

Krypto-Geld schützt Vermögen vor staatlicher Willkür, vor Abwertungen durch die Zentralbank, vor Inflation und

Kapitalverkehrskontrollen. Es ermöglicht weitgehend anonym einen globalen Transfer von Wert innerhalb von Sekunden zu minimalen Gebühren.

Kein Wunder also, dass nicht nur Staaten, sondern auch Banken höchst skeptisch sind. Jamie Dimon, der CEO der Großbank JP Morgan, hält Bitcoin für Betrug. Der Star-Investor Warren Buffett hält es für »Rattengift im Quadrat«, sein Partner Charlie Munger vergleicht es mit dem Züchten von Kindergehirnen. Der Direktor der »Zentralbank der Zentralbanken« (BIZ) in Basel, Agustín Carstens, hält Bitcoin für eine Mischung aus »Spekulationsblase, Schneeballsystem und Umweltkatastrophe«. Letztlich ist all das nicht neu: Bitcoin wird, seit es existiert, von allen Seiten bekämpft, egal ob von Hackern, Regulatoren oder Regierungen. Und doch wird es immer stärker, erweist sich nicht nur als »robust«, sondern als »antifragil« (Taleb). Es wächst durch Erschütterungen.

»Jede hinreichend fortschrittliche Technologie ist von Magie nicht zu unterscheiden.«

Arthur C. Clarke

Krypto-Propheten, -Apostel und -Quacksalber

29. November 2017. Bitcoin: 10.554 $

Als ich vor drei Jahren Bitcoin gekauft hatte, sagte ich mir: Wer weiß, vielleicht steigt es einmal auf 10.000 Euro. Dann hätte ich 200.000 Euro. Nichts ist gerade ärgerlicher als die Tatsache, dass ich schon die Hälfte meiner Bitcoins in den letzten Monaten verkauft habe. Bitcoin hat außerdem noch eine wichtige interne Debatte unbeschadet überstanden, innerhalb derer sich ein Teil abspalten wollte. Die technischen Details habe ich nicht verstanden, aber seitdem klar ist, dass Segwit2x nicht kommt, steigen die Kurse wie verrückt. Ich will mehr. Ich will jetzt auch ADA, XVG und IOTA handeln. Bei diesen Altcoins soll noch mehr zu holen sein.

Ich eröffne ein drittes Konto, um auch andere Krypto-Währungen handeln zu können. Bei Bittrex kann man mit Dollar oder Euro gar nichts mehr anfangen. Um eine der hundert

Krypto-Währungen wie ADA handeln zu können, muss man sie vorher gegen Bitcoin oder Ether eintauschen. Banken sind jetzt nicht mehr beteiligt. Ich sende Bitcoin von meinem Wallet zu Bittrex und kaufe dort fünf Krypto-Währungen, von denen ich gar nicht genau weiß, was für einen Zweck sie eigentlich haben. Egal, solange sie steigen. Auch einen Hot Wallet und einen Cold Wallet habe ich jetzt. Der eine ist auf meinem Handy, der andere ist ein USB-Stick, auf dem man seine Bitcoins sicher vor Hackern schützen kann. Meine größere Sorge ist allerdings, dass ich den USB-Stick verliere. Das letzte Mal, dass mich dieses Fieber befallen hatte, war kurz vor der Jahrtausendwende gewesen. Das Spekulationsfieber der Jahre 1997 bis 2000 ging als »Dotcom-Bubble« in die Finanzgeschichte ein. Was heute »Blockchain« ist, hieß damals »Internet« oder »online«. Selbst für völlig marode Unternehmen genügte dieser Zusatz, um an der Börse ein Kursfeuerwerk auszulösen. Ja, Unternehmen wie Amazon gab es damals auch schon, und wer damals für fünf Dollar das Stück zugegriffen hatte und nicht vom Fieber befallen wurde, der ist heute reich. Es gab auch zahllose andere Unternehmen, die für ein paar Monate gehypt wurden, um dann in der Versenkung zu verschwinden. Der NASDAQ-Index, in dem die meisten dieser Aktien notiert waren, stieg von 1300 Punkten Anfang 1997 auf 5000 Punkte im März 2000. Die Kursgewinne lockten Menschen an, die sich vorher nie mit Aktien oder der Börse beschäftigt hatten, denn nur die wenigsten von uns sind frei von dem Wunsch, reich zu werden. »Dumb Money« nennt die Wallstreet die Schüler, Hausfrauen, Rentner und Glücksritter, die in jeder Spekulationsblase das letzte Drittel bilden, das investiert. Sie kaufen dann, wenn die erfahrenen und abgebrühten

Händler ihre Gewinne mitnehmen. Einer von ihnen war ich. Ich folgte relativ wahllos Tipps von Freunden oder Zeitschriften. Die Gewinne ziehen weitere Neulinge an, die bereit sind, noch mehr Geld zu bezahlen. Fallende Kurse haben diese Leute nie erlebt, und so sind ihre Gehirne programmiert und fest verankert in dem Glauben, es gehe immer weiter nach oben. Doch irgendwann findet sich kein dummes Geld mehr, die Verkäufer werden mehr, die Käufer weniger. Aus der Euphorie wird Panik. Nach langem Hin und Her verkaufe ich nochmals die Hälfte meiner Bitcoins.

Als Andreas Antonopoulos am 30. November 2017 gestand, gerade erst seine Schulden abbezahlt zu haben, war die Aufregung in der mittlerweile zu Millionen angewachsenen Bitcoin-Gemeinde groß. Wie konnte es sein, dass dieser Mann, der seit Jahren um die Welt reist, um die Menschen von den Vorzügen der neuen Krypto-Währung zu überzeugen, der wenn schon nicht »Jesus of Bitcoin«, so doch zumindest mit Fug und Recht »Bitcoin-Apostel« genannt wird, dass dieser etwas grottenolmige Prediger nicht inzwischen zum Multimillionär geworden war?

Bitcoin und Krypto-Währungen werden immer wieder als Ponzi-Schema und Schneeballsystem bezeichnet. Das sind sie nicht. Allein die Tatsache, dass steigende Kurse mehr Investoren anlocken, macht noch keine Vermögensklasse zu einem illegalen Unterfangen. Der Grund, weshalb Kryptos so oft für Schneeballsysteme gehalten werden, ist ein anderer: Menschen, die einmal in den Kaninchenbau von Kryptopia gefallen sind, sind danach nicht mehr dieselben. Das Prinzip der dezentralen Blockchain zu verstehen, ist eine intellektuelle

Herausforderung, deren Meisterung einen echten Heureka-Moment hervorruft. Wem es einmal gelungen ist, der kehrt mit missionarischem Eifer in die Fiat-Welt, wie Krypto-Fans die Welt des herkömmlichen Geldes nennen, zurück. Als Nächstes macht er sich daran, wie ein frisch angeheuerter Versicherungsvertreter im Freundes- und Familienkreis für das revolutionäre Produkt zu werben. Extremere Naturen machen es sich zur Lebensaufgabe, die Menschheit zur neuen Krypto-Religion zu bekehren. Einer von ihnen ist Andreas Antonopoulos.

Der 1972 geborene Grieche hängte 2012 seinen Job als Berater an den Nagel, um sich von nun an voll und ganz dem Thema Bitcoin zu widmen. Er schrieb Hunderte von Artikeln, mehrere Bücher, hielt Vorträge und beriet Unternehmen. Es gibt Bilder aus dem Jahr 2014, die zeigen Antonopoulos in einem leeren Saal vor drei, vier Zuhörern sprechen. Mittlerweile füllt er Hallen, zu seinen Zuhörern zählen Politiker höchstens Ranges.

Antonopolous ist Bitcoin-Maximalist, das heißt, er ist überzeugt davon, dass diese Erfindung unser Geldsystem, ja das gesamte Wirtschaftssystem revolutionieren wird. Für ihn war es also nur konsequent, sich ausschließlich in Bitcoin oder anderen Krypto-Währungen bezahlen zu lassen und seine Bedürfnisse ebenso ausschließlich mit Bitcoin zu bezahlen, soweit das eben möglich war. Meist aber reichte das Geld nicht einmal für die Grundbedürfnisse, geschweige denn, um etwas zurückzulegen. Vom großen Kursanstieg von Bitcoin blieb bei Antonopolous also kaum etwas hängen. Und so kam es zum Tweet: »I'm not a bitcoin millionnaire. I was working for free, instead of investing, for the first 2 years. Only recently got out of debt«, den über 400.000 seiner Follower lasen.

Am nächsten Tag wachte Antonopolous auf und war Millionär. Quasi über Nacht hatte er Spenden von über 100 Bitcoin erhalten, zum damaligen Kurs von rund 1,5 Millionen US-Dollar. Tausende von Fans hatten ihm über Nacht Bitcoins geschenkt. Denn während Antonopoulos damit beschäftigt gewesen war, die Welt über die Vorzüge von Bitcoin aufzuklären, waren seine Jünger reich geworden. Mit dieser Aktion bedankten sie sich bei ihm.

Die Geschichte zeigt zum einen, wie stark der Gemeinschaftsgedanke in der Bitcoin-Welt zu dieser Zeit noch ausgeprägt war (die Spannungen sollten noch zunehmen). Zum anderen steht Antonopolous auch für ein Phänomen, das es so in der Finanzgeschichte vorher nicht gab. Quasi aus dem Nichts sprießen Experten aus dem Boden und finden binnen weniger Wochen eine kaum vorstellbar große Anhängerschaft.

Wenn Antonopoulos der Bitcoin-Apostel ist, so ist Julian Hosp der Krypto-Prometheus. Der hyperagile Österreicher war schon Profi-Kiter und Arzt, bevor er sein eigenes Blockchain-Start-up gründete. Neben seiner Tätigkeit als Unternehmer startete Hosp Anfang 2017 seinen eigenen YouTube-Kanal, um die Welt »#cryptofit« zu machen. Seine Vision ist es, dass bis 2025 eine Milliarde Menschen den Begriff Blockchain durch ihn kennen und verstehen gelernt haben.

So wie die Kurse von ETH, ADA oder EOS explodierten, schoss Hosps Fangemeinde in die Höhe. Im Juni 2018 hatten Hosp bereits 80.000 Fans auf YouTube abonniert, und seine Facebook-Gruppe war auf 45.000 Mitglieder angewachsen.

Hosp hat das Charisma eines Motivationstrainers, der auf ebenso sympathische Art auch Staubsauger oder private Krankenversicherungen verkaufen könnte. Gleichzeitig haftet dem 1986 geborenen Tiroler, der heute in Singapur lebt, nichts Aufschneiderisches an. Mit wilden Kursprophezeiungen hält er sich zurück. Stattdessen versucht er, seinen Zuhörern die langfristigen Aussichten von Bitcoin und Ethereum näherzubringen.

Amüsant bis völlig durchgeknallt, aber auf jeden Fall erwähnenswert sind noch zwei weitere Krypto-Apostel. Da ist zu einem John McAfee. Der 1945 geborene Amerikaner hatte einmal die Anti-Viren-Software McAfee gegründet und war damit reich geworden. Heute lebt der Libertäre in Belize – angeblich mit mehreren Frauen – und wird wegen Mordes gesucht. 2017 verkündete McAfee, er werde »seinen eigenen Schwanz essen«, wenn Bitcoin innerhalb der nächsten drei Jahre nicht auf 500.000 US-Dollar steige. Im selben Jahr präzisierte er seine Aussage: Bitcoin werde bis 2020 auf eine Million Dollar steigen.

Im Hype der letzten Monate des Jahres 2017 wirkten diese Äußerungen eher amüsant als verrückt. Bitcoin war innerhalb eines Jahres von 200 auf 20.000 US-Dollar gestiegen, warum sollte nicht auch eine Million drin sein?

Im April wurde allerdings auch bekannt, dass McAfee ganz gut mit seinen Prophezeiungen verdient. Für einen Tweet an seine 800.000 Follower, mit dem er Krypto-Investments bewirbt, erhält er über 100.000 Dollar. McAfee will außerdem eine eigene Krypto-Währung starten und 2020 als Präsidentschaftskandidat einer libertären Partei antreten, die er notfalls vorher noch selbst gründet.

Erwähnt sei an dieser Stelle auch ein Amerikaner namens Clif High, ein ehemaliger Programmierer und Softwarespezialist, der sich kostenpflichtigen Reports der Prognostik verschrieben hat, mal bestimmte Blockchain-Projekte lobte, mal den nahenden Zusammenbruch des Fiat-Systems beschwor oder auf eine Verschwörung pädophiler Politiker rund um Hillary Clinton aufmerksam machte. Mittels einer geheimen Methode, die aber etwas mit der Auswertung linguistischer Prozesse zu tun hatte, war sich High sicher, dass Bitcoin bis Mai 2018 64.000 US-Dollar wert sein würde. Und tatsächlich lag Clif High mit vielen Prognosen erstaunlich richtig, so dass er sich einen treuen Fankreis aufbaute. Als seine letzte Prognose nicht eintrat, verabschiedete sich High von seinen Fans und gab bekannt, sich künftig einem neuen Projekt zu widmen: einem Laser-Messer, mit dem er die Käse- und Weinindustrie revolutionieren wolle, nur um einen Monat später den nächsten Report anzukündigen.

Jeder Goldrausch bringt seine eigenen Irren hervor. Das ist auf der Reise nach Kryptopia nicht anders. Der Hype selbst ist berauschend, so dass sich die eigenen Maßstäbe auflösen. Und warum sollten dann nicht auch die vermeintlich Verrückten recht haben? Erst mit etwas Distanz – und die entsteht leider erst immer dann, wenn die große Euphorie vorbei ist – lassen sich halbwegs seriöse Gestalten wie Antonopolous und Hosp wieder von den Irrlichtern wie McAfee und Clif High unterscheiden.

Neu auf dem Weg nach Kryptopia aber sind die Multiplikatoreneffekte. Über Massenmedien wie Twitter und YouTube-Kanäle erreichen die Apostel und Propheten ihre Anhänger heute viel schneller, als das noch beim letzten großen

Boom, der Dotcom-Blase, Ende der Neunziger der Fall war. Wie Luther sich des Buchdrucks bediente, um seine Reformation zu verbreiten, nutzen die Krypto-Apostel Twitter, Facebook und YouTube. Auch diese Effekte waren wirksam beim raketenhaften Anstieg von Bitcoin und Co. in der zweiten Jahreshälfte 2017. Vieles davon ist Mist, manches Scharlatanerie, weniges aber eben auch seriös, klug und revolutionär. Stellen wir uns also darauf ein, dass manche Passagen der Reise nach Kryptopia einer Achterbahnfahrt ähneln - mit rasanten Aufwärtsbewegungen und schmerzhaften Abstürzen.

»Religionen und Technologie tanzen immer einen grazilen Tango«, schreibt der Historiker Yuval Noah Harari in *Homo Deus*. Gibt es überhaupt technologischen Fortschritt ohne guruhafte Vordenker? Im Bereich des Transhumanismus ist es der Futurist Ray Kurzweil, der seine Follower um sich schart. Die plattformorientierten Unternehmen wie Facebook und Twitter frönen der Religion des Dataismus und seinem Motto: »Ich teile, also bin ich«. Auch auf Kryptopia zeigt sich: Blockchain ist nicht nur eine Technologie, es ist eben auch eine Weltanschauung oder Philosophie. Vom Tech-begeisterten »Blockchain Enthusiast« zum »Tech Evangelist« ist der Weg oft nur kurz. Kürzlich startete der CEO des Augur-Projekts Matt Liston seine eigene Krypto-Religion »Zero ex Omega«, was ihm einiges an Spott eingebracht hat. Doch im Kern ist es eben der Glaube der vielen, der darüber entscheidet, ob Kryptopia jemals existieren wird oder am Ende als eine Art Krypto-Hippie-Kommune auf Costa Rica endet.

Viele Blockchain-Projekte spielen bewusst oder unbewusst mit einem Hang zum Geheimnisvollen und Mystischen und lassen naiv Reisende wie uns mit vielen Fragen zurück: Wieso heißt eine Prognoseplattform »Gnosis« oder »Augur«? Warum heißt ein großer Krypto-Fonds »The Alchemist«? Warum ist Ethereum nach der unsichtbaren Quintessenz Äther benannt, der alles mit allem verbindet? Warum trägt eine Krypto-Währung den Namen des Renaissancegelehrten Gerolamo Cardano, der auch mit dem Magier John Dee verkehrte? Geschichte scheint sich gerade zu wiederholen: Während die Alchemisten des Mittelalters versprachen, aus Blei Gold machen zu können, und mit dieser Kunst oft von Königshof zu Königshof zogen, beraten Krypto-Alchemisten von heute Staatschefs bei der Lancierung eigener Krypto-Währungen; die Schaffung des »Petro« in Venezuela – eine Krypto-Währung, die auf dem im Boden befindlichen Öl basiert – erinnert nur zu gut an das Auftreten von Mephisto und Faust vor dem Kaiser im zweiten Teil von Goethes großem Werk: Damals ging es um die Erfindung des Papiergeldes auf Rohstoffbasis.

Das Spiel mit dem Magischen mag ein nerviger Spleen der Community sein, zeigt aber auch die Anknüpfung an eine geistesgeschichtliche Strömung: Die Ökonomie auf Kryptopia stellt die Kraft der Mathematik und Kryptografie über die Macht und die Strukturen von Autoritäten, wie in der Renaissance. Nur geht es heute nicht mehr um die Frage, ob die Erde um die Sonne kreist, sondern ob in Zukunft die Welt noch um den Dollar oder nicht doch schon (zum Beispiel) um den Bitcoin kreist. Schon Pythagoras, auf den wir uns heute wie selbstverständlich berufen, bildete eine Geheimgesellschaft, und selbst den Mächtigen des Mittelalters galt Mathematik noch als schwarze Magie. Die Kryptografie wurde maßgeblich durch den Abt Johannes Trithemius entwickelt, um geheimes Wissen vor der Verfolgung durch Autoritäten zu schützen. Ohne Trithemius kein Bitcoin, ohne Bitcoin kein Wikileaks. Gefährliches Wissen, Geld und Kryptografie bilden in den Augen der Autoritäten wohl seit jeher eine unheilige Allianz.

Sobald es um Geld und Macht geht, steht die Menschheit also offenbar immer mit einem Bein im Reich der Magie. Sehen wir das nicht auch heute noch an der Intransparenz der Geldschöpfung »aus dem Nichts« im heutigen Geldsystem? Isaac Newton gilt als erster Wissenschaftler der Moderne, einigen jedoch eher als letzter Zauberer, da ein Großteil seiner Schriften von Alchemie handelt. Aus dessen physikalischem Weltbild leitete Adam Smith im »Reichtum der Nationen« seine Gesetze der Ökonomie ab. Newton leitete zugleich die britische Münzprägeanstalt Royal Mint. Es ist auch Newtons Geist, der wie das Lachen der Grinsekatze im Kaninchenbau von Kryptopia in der Luft hängt und uns die Antwort verweigert, ob wir gerade Genies entdeckt haben oder Betrügern auf den Leim gehen.

»Virtual currency, where it's called a bitcoin vs. a U.S. dollar, that's going to be stopped. No government will ever support a virtual currency that goes around borders and doesn't have the same controls. It's not going to happen.«

Jamie Dimon, JP Morgan

Sand im Getriebe – wie Bitcoin und Co. das geopolitische Machtgefüge verändern

19. Dezember 2017. Bitcoin: 19.000 $

Als könne man eine Rakete, die zum Mond fliegt, nochmals um das Doppelte beschleunigen. So in etwa fühle ich mich seit über zwei Wochen. Das Verrückteste ist vielleicht, dass sich 19.000 Dollar gar nicht mehr so viel anfühlen. Immer mehr Experten tauchen jetzt auf, die davon sprechen, dass Bitcoin locker in den nächsten Monaten 100.000 oder sogar eine Million Dollar erreichen könnte. Von den ganzen Altcoins ganz zu schweigen. Ethereum, IOTA, ADA, XRP und XVG – alles vervielfacht sich innerhalb weniger Tage. Natürlich glaube ich das nicht, natürlich weiß ich, dass dies ein irrationaler Hype ist, eine Blase, die irgendwann platzen wird. Nur wann? Im Internet taucht ein Video auf. Darin rappen Szenegrößen wie Kool Savas und Sido darüber, dass sie jetzt nicht mehr rappen, sondern mit Kryptos spekulieren. »Hodln«, heißt der Song. »Hodln« ist eine Verballhornung von »to hold« – vor ein paar Jahren hatte ein betrunkener Bitcoin-Enthusiast in einem Forum gepostet, er würde seine Bitcoins für immer behalten. Daraus wurde ein Internet-Meme. Eigentlich ist das ein unglaublich naiver Investmentansatz: Wenn die Kurse einmal zu fallen beginnen, bleiben die Hodler auf ihren Verlusten sitzen. Sunk-Cost-Falle nennt man das: Wer einmal zu hohen Preisen gekauft hat, der kann sich davon nicht mehr lösen. Er hofft stets auf steigende Kurse und kann dem Unglück nicht ins Auge sehen. Sein Gehirn hat einen emotionalen Anker geworfen und macht es dem Menschen jetzt unmöglich, wenigstens einen Teil seines Kapitals zu retten.

Ich versuche, aus meiner Filterbubble auszubrechen, abonniere ein paar Bitcoin-Kritiker auf Twitter, die dem Boom ein schmerzhaftes Ende vorhersagen. Allein, es hilft nichts.

Ich fliege nach Dubai, liege am Pool eines Hotels mit Sicht auf den Burj Khalifa und freunde mich mit dem Gedanken an, ein reicher Mensch zu sein. Im Kopf überschlage ich meine Investments: Ich komme auf 250.000 Euro. Immer wieder rechne ich im Kopf den Wert meiner Investitionen aus, und dann überlege ich mir, wie viel alles wert ist, wenn Bitcoin tatsächlich auf 64.000 Dollar steigt, wie manche Internet-Propheten es behaupten. Ich baue Luftschlösser in den Wüstenhimmel so hoch wie der Burj Khalifa, der höchste Turm der Welt. Jetzt verkaufen? Auf keinen Fall – zu oft habe ich mich in den vergangenen Monaten ja darüber geärgert, dass ich zu früh verkauft hatte. Ich muss alles behalten, ich muss hodln!

Die iranische Oberschicht verbringt ihre Tage mittlerweile gerne in den Tempeln des Kapitalismus. Im Supermarkt eines Einkaufszentrums im Norden Teherans gibt es kaltgepresste Kale-Säfte und Bio-Hühner. Nur zwei Tatsachen erinnern hier noch an die Islamische Revolution vor fast 40 Jahren: Das Bier ist alkoholfrei, und irgendeines der Produkte mit einer ausländischen Kreditkarte zu bezahlen, ist unmöglich.

Das Land ist vom internationalen Zahlungssystem SWIFT praktisch abgeschnitten. Wer wie die Hunderte von deutschen und französischen Unternehmer nach 2016 das Land besuchte, um Geschäftsmöglichkeiten auszuloten, musste Bargeldreserven für ein oder zwei Wochen mit sich bringen. Es existiert schlicht keine Möglichkeit, an Geld zu kommen – auch am internationalen Flughafen gibt es keinen Geldautomaten, der nicht iranische Karten akzeptiert.

Seitdem der US-amerikanische Präsident Donald Trump Anfang Mai 2018 den Atom-Deal aufgekündigt hat, hat sich die Situation im Land noch weiter verschärft. In der Folge stürzte die iranische Währung ab, die Bürger begannen, Gold zu horten, und die iranische Regierung erließ ein Gesetz, wonach nur noch maximal 5000 Euro ausgeführt werden dürfen (siehe China). Zur selben Zeit muss sich in den USA ein schillernder Multimillionär namens Reza Zarrab vor Gericht verantworten. Dem Iraner mit türkischem Pass wird vorgeworfen, während der Sanktionszeit ein Tauschgeschäft zwischen dem Iran und der Türkei organisiert zu haben. Gegen Gold im Wert von Milliarden bekam Ankara billiges Gas und Öl aus dem Iran geliefert. Der Fall ist von höchster politische Brisanz, denn sollten die Informationen aus

Hacker-Kreisen stimmen, war auch die Familie des türkischen Präsidenten Erdoğan in den Deal eingeweiht.

Ein Land finanziell zu isolieren, ist ein mächtiges Druckmittel, vielleicht das mächtigste in einer globalisierten, endlos verflochtenen Volkswirtschaft. Der Iran ist nicht das einzige Land, das dies zu spüren bekommen hat.

Die »Society for Worldwide Interbank Financial Communication« ist eine 1973 gegründete Organisation mit Sitz in Belgien, die den Zahlungsverkehr von über 10.000 Banken standardisiert und organisiert. Sie ist genossenschaftlich aus den Zentralbanken organisiert, im Kontrollgremium hat deswegen auch die Bundesbank einen Sitz. Daran angeschlossen sind über 11.000 Banken. SWIFT händelt pro Tag über 15 Millionen Transaktionen.

Immer wieder wurde vor allem von US-amerikanischen Geheimdiensten versucht, auf die Organisation Einfluss zu nehmen, beispielsweise Zahlungen mit Russland zu sperren oder Daten herauszugeben (was wohl auch geschah). Der Whistleblower Edward Snowden konnte nachweisen, dass die NSA und die CIA mehrmals das Netzwerk angezapft haben.

In Kryptopia existiert dieses Druckmittel nicht. Bitcoin und andere dezentrale Krypto-Währungen entziehen sich der Kontrolle nationaler und supranationaler Organisationen. In Kryptopia kann Teheran seine Geschäfte weiterhin ungestört abwickeln. Genauso wie niemand mehr den Schanghainesen, den wir bereits kennengelernt haben, daran hindern kann, sein Privatvermögen in die USA oder nach Kanada zu bringen, kann keine UNO und keine amerikanische Regierung mehr einen vermeintlichen Schurkenstaat daran hindern, sein Öl oder seine Blutdiamanten zu verkaufen. Man kann an dieser Stelle die Welt im Chaos versinken oder eine neue segensreiche multipolare Weltordnung entstehen sehen. Fakt ist, dass Krypto-Währungen das geopolitische Machtgefüge verändern werden.

Worauf es an dieser Stelle ankommt, ist weniger die Blockchain-Technologie als die Tatsache, dass Bitcoin (und viele andere Krypto-Währungen) dezentral organisiert sind. Ein solches System zu kontrollieren, ist praktisch unmöglich. Den Mächtigen - seien es demokratisch legitimierte Volksvertreter oder kleptomane Autokraten, die UNO, die Zentralbanken oder Kartelle - wird ein Steuerungsinstrument entrissen werden.

Zunutze machen sich das auch Start-ups wie das deutsche Bitbond oder Bitwala. Die »Krypto-Bank« vermittelt Kredite in Form von Bitcoins an Kleinunternehmer weltweit. Die Renditen liegen weit über dem Zinsdurchschnitt westlicher Länder. Das Zahlungssystem SWIFT wird dabei komplett umgangen. Dem Gros der westlichen Privatanleger mag das aufgrund der Wertschwankungen des Bitcoin zu riskant sein. Doch wehren wir den Anfängen. Fakt ist: Es gibt heute bereits Zahlungsmittel, die in Höchstgeschwindigkeit um den Globus geschoben werden können, ohne dass jemand diesen Verkehr unterbinden kann.

Wenig Zukunft dagegen dürften staatliche Krypto-Währungen wie der Petro aus Venezuela haben. Nach jahrelanger Misswirtschaft, Hyperinflation (und Flucht vieler Bürger in Gold und Bitcoin) startete die venezolanische Regierung den »Petro«, eine Blockchain-basierte Währung, die den Wertverfall stabilisieren soll. Das Geld soll durch Erdölreserven gedeckt sein. Wir dürfen davon ausgehen, dass in den kommenden

Jahren noch mehr Staaten ihre eigenen Blockchain-basierten Währungen ausgeben werden - mit dem revolutionären Potenzial von Bitcoin aber haben sie nichts gemeinsam. Im Gegenteil: eine zentralisierte Blockchain-Währung, bei der sich alle Transaktionen lückenlos nachvollziehen lassen, hat ein weitaus größeres Überwachungspotenzial als herkömmliches »Fiat-Geld«. Erst die dezentrale Struktur entfaltet das revolutionäre Potenzial einer KryptoWährung.

Die Mullahs in Teheran haben diese Chancen nicht erkannt. Im Gegenteil: Sie sehen darin eher die Risiken in Form von Geldwäsche und den Verlust von Kontrolle über die eigene Währung. So erließ die iranische Zentralbank noch im Dezember 2017 ein Verbot für den Handel mit Bitcoin und anderen Krypto-Währungen. Der Mut zur Freiheit war noch nie ein Kennzeichen von autoritären Systemen. Doch das wird sich ändern.

»All of technology, really, is about maximizing free options.«

Nassim Nicholas Taleb

Schöne, neue Krypto-Welt – Fata Morganas und Oasen am Horizont

10. April 2018. Bitcoin: 6755 $

Das »Mooning« ist ausgeblieben. Bitcoin ist nur noch ein Drittel des Höchststandes vom Dezember wert. Wenn ich mich auf Twitter, YouTube und in Telegram-Gruppen umschaue, hat sich aber nichts geändert. Die meisten sind sich einig: Das ist alles nur ein kleiner Rücksetzer. Bald wird Bitcoin auf 100.000 US-Dollar steigen. Andere raunen davon, dass Fonds und Banken den Kurs künstlich drücken würden, um selbst billig einsteigen zu können. Marc aus Bangkok schreibt, dass man nicht vergessen dürfe, dass Bitcoin immer noch 400 Prozent im Plus sei im Vergleich zu vor einem Jahr. Er hat natürlich recht. Nur vermisse ich jetzt dieses Rauschgefühl, in dem alles möglich scheint. Viel schlimmer hat es all diese Altcoins erwischt, von denen ich bis heute nicht so genau weiß, was ihr Sinn eigentlich ist. Alles, was ich im November und Dezember gekauft hatte, ist entweder tief im Minus oder dümpelt irgendwo um den Einstiegskurs herum. Vielleicht beginnt jetzt einfach ein langsamer, schmerzhafter Abstieg, und noch immer wollen das viele nicht wahrhaben.

Ich verkaufe meine Altcoins oder tausche sie in Bitcoins um. Alles, was ich jetzt noch besitze, sind fünf Bitcoins. Zum Glück habe ich den Rest vorher verkauft.

Ist es Trost oder die Auflösung kognitiver Dissonanz, warum ich erst jetzt beginne, mich wirklich mit Bitcoin auseinanderzusetzen? Zum ersten Mal habe ich das Gefühl, Bitcoin wirklich durchdrungen zu haben. Es ist ein ganz persönlicher Heureka-Moment, den angeblich viele Krypto-Enthusiasten haben – eine Art Initiationsritus, der mit spekulativem Interesse beginnt und immer tiefer in das Rabbit Hole führt. Weil Bitcoin und die Blockchain so neu und mit kaum irgendetwas Bestehendem vergleichbar ist, brauchen wir so lange, um das Prinzip zu verstehen. Wem es einmal gelungen ist, der kann gar nicht mehr anders, als seinen Mitmenschen vom Segen dieser Innovation zu berichten.

Anfang des 19. Jahrhunderts bot sich ausgewählten Mitgliedern der englischen Mittelschicht eine einmalige Chance. Sie hatten die Gelegenheit, am anderen Ende der Welt, an der Küste Nicaraguas, ein ganz neues Leben zu beginnen. Eingeladen hatte sie der Prinz von Poyais, der dort ein eigenes Reich aufgebaut hatte und jetzt nur noch gute Bewohner suchte. Die Engländer bestiegen Schiffe und fuhren ins gelobte Poyais. Im Gepäck hatten sie neben Poyais-Dollars auch ihre Ernennungsurkunden zum Hoffriseur oder zum Intendanten des Nationaltheaters.

Doch als sie ankamen, waren da nur ein paar primitive Bretterhütten und verfeindete Indianerstämme. Es gab kein Königreich Poyais. Das Ganze war der Bluff des Jahrhunderts. Nicht mal Geld für die Rückfahrkarte hatten sie, die wertlosen Poyais-Dollar konnten sie allenfalls als Brennmaterial nutzen. Sie waren auf einen Betrüger reingefallen und saßen nun an der Moskitoküste am anderen Ende der Welt fest, während der Rest der Welt über sie lachte.

Auch bei uns fährt die Erinnerung an die gelackmeierten Engländer in Poyais auf unserer Reise nach Kryptopia stets mit. Jede Expedition ist risikoreich. Wir sind als Kleinspekulanten gestartet, haben uns im Laufe des letzten Jahres von einer einzigartigen Aufbruchstimmung anstecken lassen, haben unsere Krypto-Konten sich aufblähen und schmerzhaft zusammensinken gesehen. All das aber schmälerte nie unser Interesse an Kryptopia – im Gegenteil, wir sind tiefer in dieses Land gereist, als wir es je gedacht hätten.

Mithilfe der Blockchain stellt sich erneut die Frage der Loslösung von Autoritäten, welche die Menschheit seit der Wahl des ersten Stammesfürsten über Imperien, Ideologien, Religionen vollzogen hat. Bezeichnenderweise gehen wir mit der Logik der Blockchain zur Urphilosophie des afrikanischen Kontinents, der Wiege der Menschheit zurück: »Wenn viele kleine Menschen an vielen kleinen Orten viele kleine Dinge tun, kann das Gesicht der Welt verändert werden.« Die Chance dazu besteht: Noch jedes zentrale Herrschaftssystem ist im Laufe der Geschichte wieder zusammengebrochen. Microsoft, ein Monopolist, wurde durch Windows reich. Doch heute läuft auf mehr Rechnern das Betriebssystem Linux. Ein Graswurzelprojekt Und es läuft so gut, dass es sogar in Flugzeugen eingesetzt wird.

Ist das auch auf Formen des Zusammenlebens übertragbar? Johann Gevers, ein Vordenker aus dem Crypto Valley in Zug, meint »Ja« und erklärt dies historisch: Ursprünglich lebten wir in dezentralen Gruppen von rund vierzig Menschen. Die Landwirtschaft sorgte für ein Anschwellen von Städten, aber auch für mehr Anonymität und Vereinzelung. Erst diese Entwicklung machte pyramidenförmige Herrschaftssysteme und Führerpersönlichkeiten möglich, die von oben nach unten regieren. Technologie, so Gevers, kann nun wieder eine ursprüngliche Netzwerkgemeinschaft entstehen lassen, diesmal die der vielen. Analoge Systeme des Zusammenlebens skalieren nicht über die Zahl von 150 Personen. So hoch ist die Anzahl der Menschen, die wir persönlich kennen können (»Dunbar's Number«). Technologiegestützte Systeme skalieren hingegen bis ins Unendliche. Die Blockchain-Technologie erschafft eine virtuelle Netzwerk-Gemeinschaft, die eine extrem hohe Anzahl an Menschen zusammenbringt, die sich nicht kennen müssen, um miteinander ins Gespräch oder Geschäft zu kommen, weil Vertrauen strukturell durch Technologie ersetzt ist.

Doch was, wenn immer mehr Staaten ihre eigenen Blockchain-Währungen ausgeben? Der Petro in Venezuela ist nur der Anfang. Zahlreiche Staaten tüfteln momentan an Blockchain-basierten Währungen. Doch nicht dezentralisiertes Blockchain-basiertes Geld vereint das Schlechteste aus zwei Welten. Jede Transaktion lässt sich in diesem Fall auf alle Ewigkeit zurückverfolgen und ist inflationär und nicht anonym. Kurzum: Sie ermöglicht die totale Überwachung. Das ist keine Orwell'sche Panikmache. China will bis 2020 ein Social-Credit-System einführen, bei dem digitale Einkäufe, Gesetzesübertritte, Kreditwürdigkeit und Krankenhistorie in ein System eingespeist und in einen »Score« übersetzt werden.

Auch ob es in Kryptopia fairer als in der »Fiat-Welt« zugeht, ist fraglich. So listet die Seite arewedecentralizedyet.com auf, wie viel Prozent einer Krypto-Währung sich in den hundert größten Konten befindet – kurzum: Wie viele Superreiche es für Bitcoin und Co. gibt. Die Ergebnisse sind ernüchternd: Die Top 100 halten 19 Prozent aller geschürften Bitcoins, 35 Prozent aller Ether und 81 Prozent aller Ripple-Token. Trotz Konsens-Prinzip und Anti-Wallstreet-Rhetorik hat sich hier eher eine Plutokratie der Nerds entwickelt denn eine chancengleiche Marktwirtschaft.

Ebenfalls ungeklärt ist der Stromverbrauch von Kryptopia: Je mehr Leute Bitcoin nutzen, desto mehr Transaktionen müssen bestätigt werden. Das erfordert mehr Rechenleistung. Was früher noch ein PC im eigenen Arbeitszimmer erledigen konnte, schaffen heute nur noch große Mining-Firmen, die sich in Ländern befinden, in denen Strom entweder billig, weil subventioniert ist (China), oder in denen niedrige Temperaturen für eine natürliche Kühlung sorgen (Island). Im Juli 2018 entsprach der jährliche Stromverbrauch aller am Bitcoin-Mining beteiligten Computer dem des Landes Chile oder dem von 6,5 Millionen US-Haushalten. Das ist ein bisher ungelöstes Problem, auch wenn Entwickler daran arbeiten, und es wird nicht besser, wenn Bitcoin-Apologeten darauf hinweisen, dass die traditionelle Bankenbranche noch viel mehr Energie verbrauche. So sagte Andreas Antonopoulos: »Die Unveränderbarkeit beziehungsweise Sicherheit eines Netzwerks ist keine Verschwendung von Energie. Weihnachtsbeleuchtung schon.«

Trotzdem hat Kryptopia grundsätzlich alles, was es für eine gesellschaftliche Neuordnung braucht:

- Eine unfälschbare Datenbank für alle möglichen Transaktionen, die für Verlässlichkeit sorgt.
- Ein Geldsystem, das durch niemanden kontrolliert wird oder zensiert werden kann.
- Eine eigene Krypto-Ökonomie, die mit eigenen Anreizsystemen arbeitet und als Netzwerk aufgebaut ist, also als »incentivized mechanism design« (Joseph Lubin) fungiert.

Bisher hat sich in jeder Revolution der Befreier zum neuen Herrscher gemacht. Ob uns dieses Schicksal in Kryptopia erspart bleibt?

Dass Bitcoin und Co. hochvolatil sind, konnte jeder wissen, als er investierte. Auch im Jahr 2013 stieg Bitcoin auf 200 Dollar, um dann unter 60 Dollar zu fallen. Nun war Bitcoin auf 20.000 Dollar gestiegen, um unter 6000 zu fallen. Ähnliche Muster hatten sich auch in den Jahren 2014 und 2016 gezeigt. Einige sehen darin den Gartner-Zyklus, der dem NASDAQ vergleichbar ist: Nach dem Peak kommt die Verflachung (in diesem Tal der Tränen sind wir gerade) und dann irgendwann wieder ein Anstieg (wenn auch flacher). Die Dotcom-Blase platzte auch, ohne dass es das Ende des Internets war.

Vorhersagen, die die Zukunft betreffen, sind schwierig, meinte Churchill. Statistisch sind Experten nicht besser mit Vorhersagen als Schimpansen, die Pfeile auf eine Dartscheibe mit Zukunftsvisionen werfen.

Der Astronom Clifford Stoll erklärte 1995 in der Zeitung *Newsweek,* warum das Internet scheitern muss:

> »Visionäre sehen eine Zukunft von Telekommunikationsarbeitern, interaktiven Bibliotheken und Multimedia-Schulklassen. Sie sprechen von elektronischen Meetings und virtuellen Gemeinschaften. Handel und Geschäfte werden von Büros und Shopping-Center auf Netzwerke und Modems ausgelagert.
> Und die Freiheit digitaler Netzwerke wird Regierungen demokratischer machen. Quatsch.«

Im Rückspiegel schlau zu sein, ist leicht. Blockchain und Bitcoin werden nicht verschwinden. Sie werden aber auch nicht gleich morgen alle Strukturen ersetzen. Das hat das Internet auch nicht getan. Bitcoin muss also nicht gleich das Gold ersetzen und wird sich doch als alternative Anlageklasse etablieren können. Die Technologie hat das Potenzial, das Gesicht der Welt und die Art, wie wir denken, zu verändern. Das Internet brauchte etwa fünfzig Jahre, um von einer Idee in den Mainstream zu gelangen. Bei Bitcoin und Blockchain könnte es schneller gehen.

Bis dahin – so unsere Hoffnung – werden immer mehr hoffentlich mündige Menschen über das Wesen des Geldes nachdenken, ihre Politiker und Institutionen hinterfragen, woher das Geld ihres Landes kommt, in welchen Mengen es in Umlauf gebracht wird und wem es in erster Linie dient. Inflation und Deflation, Schuldenberge und die damit einhergehenden Kollapse werden nicht mehr als Naturereignisse wahrgenommen werden, zu denen es keine Alternative gibt, sondern als Folgen menschlichen Handelns.

Wer schlauer von einer Reise zurückkehrt, als er aufgebrochen ist, der hat von Kryptopia profitiert. Egal wohin die Reise am Ende führt.

Epilog: Und der Letzte macht das Licht aus?

2. Juli 2018. Bitcoin: 6364 $

Wenn Bitcoin eine Party ist, dann ist es mittlerweile sechs Uhr früh, und am Feiern sind nur noch ein paar Druffis, die nicht sehen wollen, dass bereits ein neuer Tag angebrochen ist. Alle anderen sind längst nach Hause gegangen. Seit Monaten bewegen sich die Kurse mal ein bisschen nach oben, nur um dann gleich wieder zu fallen. Aus den Medien ist Bitcoin mittlerweile völlig verschwunden. Seit Dezember haben die meisten Projekte zwischen 70 und 95 Prozent Miese gemacht. Ist der Traum von Kryptopia geplatzt? Dies zeigen dann die Kursverläufe aus den Jahren 2013, 2014 und 2015. Belegen sollen sie, dass Bitcoin immer wieder extrem anstieg, crashte, nur um dann wieder höher zu steigen. Muster wiederholen sich. Aber nur so lange, bis sie sich eben nicht mehr wiederholen. Was können Kurse der Vergangenheit über zukünftige Kursent-

wicklungen aussagen? Bitcoin wird bestehen bleiben, das ist ziemlich offensichtlich. Die Frage ist nur: zu welchem Preis? Ich versuche, mental mit diesem Kapitel abzuschließen.

Tatsächlich gibt es eine Website 99bitcoins.com/bitcoin-obituaries, die seit Jahren Nachrufe sammelt, also Texte, die den Tod von Bitcoin vorhersagen oder bescheinigen. Der älteste stammt vom 15. Dezember 2010, Bitcoin war damals 0,23 $ wert; der letzte vom 28. Juni 2018.

Links

Was ist Bitcoin und wie funktioniert es?
Ein Bitcoin-Starterkit & Überblick:
https://lopp.net/bitcoin.html

Bitcoin erklärt für einen Fünfjährigen
https://medium.freecodecamp.org/explain-bitcoin-like-im-five-73b4257ac833

Bitcoin erklärt mit Bildern
https://www.upfolio.com/ultimate-bitcoin-guide

Das Bitcoin-Whitepaper
http://fermatslibrary.com/s/bitcoin

Bitcoin und die Blockchain
https://www.youtube.com/watch?v=YIVAluSL9SU

Ein Überblick über Blockchain-Anwendungen
https://www.youtube.com/watch?v=G3psxs3gyf8&t=143s

Kryptopia auf einen Blick

+50 Blockchain-Anwendungen und was sie tun
https://medium.com/@matteozago/50-examples-of-how-blockchains-are-taking-over-the-world-4276bf488a4b

Link zu einer Linksammlung
https://hackernoon.com/top-10-blockchain-blogs-books-podcasts-51968de42168

Kurse und Statistiken

Kurse von Bitcoin und über 1500 andere Krypto-Währungen
https://coinmarketcap.com

Historische Kurse
https://coinmarketcap.com/historical/

Das Wachstum von Bitcoin als Video
https://www.youtube.com/watch?v=IORrMMt3IQg

Der ICO-Markt visualisiert
https://www.youtube.com/watch?v=wsic2TqTMG4

Demografie der Bitcoin-User und mehr
https://coin.dance/stats

Verteilung von Bitcoin und Krypto-Währungen
https://arewedecentralizedyet.com/

Quantitativer Wert von Entwicklern, Community und Medienpräsenz von über 1900 Krypto-Währungen
https://www.coingecko.com/en

Transaktionen, Block-Größen, Hashrate etc.
https://bitinfocharts.com/

Stromverbrauch von Bitcoin
https://digiconomist.net/bitcoin-energy-consumption

Der Friedhof von Kryptopia
https://deadcoins.com/

Krypto-Podcasts

Bitcoin-Maximalisten aus Leipzig
https://coinspondent.de/honigdachs-der-bitcoin-podcast-aus-leipzig/

Zwei Podcasts von Laura Shin, Krypto-Korrespondentin bei Forbes
http://unchainedpodcast.co/
https://unconfirmed.libsyn.com/

Die Propheten

Andreas Antonopolous YouTube-Kanal
https://www.youtube.com/playlist?list=PLPQwGV1aLnTuN6kdNWlElfr2tzigB9Nnj

Julian Hosps YouTube-Kanal
https://www.youtube.com/user/julianhosp

Clif Highs YouTube-Kanal
https://www.youtube.com/channel/UCqXZf0F4GLSX1QXBUgPXhqg

Daniel Jeffries
https://hackernoon.com/why-everyone-missed-the-most-mind-blowing-feature-of-cryptocurrency-860c3f25f1fb

Sonstiges

Laufend aktualisierte Liste aller Bitcoin-Nachrufe
https://99bitcoins.com/

Liste aller Bitcoin-Automaten
https://bitcoinatmmap.com/

Bitcoin in zwanzig Jahren – eine Vision
https://hackernoon.com/what-will-bitcoin-look-like-in-twenty-years-7e75481a798c

Krypto-Sprech

Airdrop = Coins fallen vom Himmel. Mit Airdrops versuchen unbekannte Projekte, Tokenholder auf sich aufmerksam zu machen und eine Community zu bauen, indem sie kleine Mengen ihrer Tokens kostenlos »vom Himmel« regnen lassen.

Delegated Proof of Stake = die Tokenholder werden über ein Voting-System ermittelt. So z. B. bei EOS.

DYOR = Do your own Research, mach dir ein eigenes Bild. Benutzt von Influencern, die nicht als Investmentratgeber haftbar gemacht werden wollen (was sie faktisch aber sind).

Fiat = von lateinisch »es werde«; Fiat-Währungen werden aus dem Nichts erschaffen.

FOMO = Fear of Missing Out; Angst, etwas zu verpassen. Extremer Druck, dabei sein zu wollen.

FUD = Fear, Uncertainty, Doubt; also Angst, Unsicherheit, Zweifel, die verbreitet werden, um andere zum Verkaufen ihrer Coins zu bringen; oft ohne klare Faktenlage.

HODL = Hold, also »halten«. Epischer Buchstabendreher, der sich durchgesetzt hat, um zum Ausdruck zu bringen, dass das langfristige Halten einer Krypto-Währung das Beste ist.

Lambo = Lamborghini. Siehe »Moon«.

Mooning = Ein Coin steigt stark an, also »zum Mond«, auch oft benutzt: »to the moon!«.

Nocoiner = jemand, der keine Krypto-Währungen besitzt (auch NOOB oder Newbie).

Proof of Stake = Transaktionen im Netzwerk werden durch bestehende Tokenholder durchgeführt, die sich in Pools zusammenschließen können und für Transaktionen belohnt werden. Schneller und weniger energieintensiv; die Pools können per Zufallsalgorithmus ausgewählt werden (wie z. B. bei Cardano).

Proof of Work = Konsens im Netzwerk wird über ein Schürfverfahren hergestellt; mehrere Rechenzentren konkurrieren mit Rechenleistung um die Validierung von Transaktionen und werden dafür belohnt. Energieintensiv, aber sicher.

Rekt = von get wrecked, zerstört werden. Oft benutzt, wenn jemand eine falsche Anlageentscheidung getroffen hat.

Whale = Wal, »großer Fisch«, also ein Krypto-Investor in großem Stil.

Top 10 laut Coinmarketcap am 3. Juli 2018

Bitcoin: älteste und seit 2009 erste Krypto-Währung mit Proof-of-Work-(»Mining«-)Verfahren, wird von einigen als »digitales Gold« angesehen. Erste Anwendung der Blockchain-Technologie und bisher verlässlichstes Netzwerk (»First Generation Blockchain«). Gründer: unbekannt (Satoshi Nakamoto).

Ethereum: Plattform für Smart Contracts, auf der dezentrale Applikationen gebaut werden können mit eigener Krypto-Währung »Ether« (»Second Generation Blockchain«). Gründer: Vitalik Buterin, Joseph Lubin, Anthony D'Orio.

Ripple (XRP): Netzwerk zur schnelleren Abwicklung von Zahlungen mit Kunden im Bankbereich; XRP ist eine zentralisierte Krypto-Währung, die »vorgemined« ist.

Bitcoin Cash: »Fork« von Bitcoin mit angeblich niedrigeren Gebühren. Großer Streitpunkt in der Bitcoin-Community bezüglich Legitimität und Seriosität.

EOS: Plattform ähnlich Ethereum mit Anwendungen für Smart Contracts, aber anderem Mining-Verfahren (Delegated Proof of Stake). Gründer: Dan Larimer (hat u. a. auch Bitshares und Steem gegründet)

Litecoin: dem Bitcoin-Protokoll nachempfundene Krypto-Währung, schnellere und billigere Transaktionen als Bitcoin, soll als das »Silber« zum Gold von Bitcoin fungieren und sich im Bereich Mikrozahlungen durchsetzen.

Cardano: Plattform, ähnlich wie EOS eine »Third generation Blockchain«: Proof-of-Stake-Algorithmus, Smart Contracts, besser skalierbar, interoperabel mit anderen Blockchains, sicher vor Angriffen von Quantumcomputern. Krypto-Währung: ADA. Gründer: Charles Hoskins (Ex-CEO von Ethereum, u. a. bei Ethereum Classic und Bitshares aktiv).

Stellar: Frühe Abspaltung von Ripple, neuerdings auch mit Smart-Contract-Anwendungen.

IOTA: Netzwerk für Anwendungen des Internets der Dinge. Krypto-Währung MIOTA. Läuft anders als Blockchain-Projekte als Tangle-System, das mit einer Vielzahl von Transaktionen sicherer und günstiger läuft. Gründer: David Sostenbo und Dominik Schiener.

Theter: Krypto-Währung, die 1:1 den Wert des Dollars widerspiegelt. Gegründet von Personen aus dem Umkreis der Börse Bitfinex. Steht in der Kritik wegen möglicher Unterdeckung.

Ökonomien der Zukunft

Dieses Buch ist Teil eines multidisziplinären Diskurses zu den zentralen Fragen unserer Zeit.

Dabei konzentrieren sich unsere Publikationen auf jeweils ein Thema, das aus einer Box mit sieben Büchern besteht.

In sechs zugänglichen Essays geben unsere Autorinnen und Autoren Einblicke in ihre unterschiedlichen Perspektiven. In einem exklusiv der Themenbox hinzugefügten siebten Buch werden Kontroversen und Schnittstellen weitergedacht.

Stefan Klein	Die Ökonomie des Glücks
Mara Catherine Harvey	Women and Risk
Milosz Matuschek **Philipp Mattheis**	Kryptopia
Tobias Werron	Der globale Nationalismus
Winston Ma	Die digitale Seidenstraße: Chinas neue Wachstumsstory
Justus Haucap	Macht, Markt und Wettbewerb: Was steuert die Datenökonomie?
+ Perspektivwechsel	Die Essays zusammen betrachtet

Lektorat: Sebastian Guggolz
Gestaltung und Satz: Huelsenberg Studio, Berlin
Gesetzt aus der Suisse Works und Suisse Int'l
Druck und Bindung: GGP Media GmbH, Pößneck

nicolai-publishing.com
discuss@nicolai-publishing.com

Twitter / Instagram: @nicolaidiscuss

Dieses Buch ist auch als E-Book erhältlich.

Printed in Germany
ISBN 978-3-96476-019-7

Never, never rest contented with any circle of perspectives, but always be certain that a wider one is still possible.

Richard Jefferies